認知言語学の散歩道

安原 和也

[著]

はしがき

　本書『認知言語学の散歩道』は、2020 年 6 月刊行の前作『認知言語学の諸相』に引き続いての単著による第 2 小論集として、企画したものである。したがって、前作と同じように、どの論考から読み始めても、その前提として、一応の理解がきちんとできる書き方で、各論考は執筆されている。また、本書に収められた全 6 編の論考は、こちらも前作に引き続いてのことではあるが、すべて未発表の原稿であり、その意味では、各々の論考には、それ独自の視点というものが十二分に組み込まれているものと考えられる。

　目次にも提示してあるように、本書に掲載した全 6 編の論考は、それぞれ、「和歌技法の認知言語学 ― 掛詞と縁語を中心に ―」「古典文学の認知プロセス」「「なぞなぞ」の認知意味論」「クロスワード・パズルの作成プロセス」「フレーム・シフティングの認知プロセス」「認知文字論への一試案」といったように、まさに「散歩道」のごとくに、その内容は多岐にわたっている。しかしながら、これらの論考を執筆していく、その前提として存在している基本的な考え方は、認知言語学と呼ばれる理論的枠組みであり、したがって、その枠組みに基づいた上での議論展開が、本書では随所に観察されるものと思われる。前作よりも、やや応用的で斬新な論考の方が多いように感じられるかもしれないが、認知言語学というものの考え方が言語の研究においてきわめて重要な役割を果たしてくれることは、本書の中で、それなりに議論することができたのではないかと考えている次第である。

　最後に、本書をまとめるにあたり、様々な場面で刺激や励ましなどをもらいつつ、本書の執筆ができたことに、この場を借りて感謝申し上げたい

と思う。また、本書の刊行に向けて、多大なるご尽力を頂きました英宝社
編集部の皆様にも、心よりお礼を申し上げたい。

2020 年 12 月　名古屋にて

著　者

目　次

認知言語学の散歩道

和歌技法の認知言語学
― 掛詞と縁語を中心に ―

1. はじめに

　和歌の鑑賞を行っていく際には、その背景で用いられている和歌技法というものにも注目していかなければ、その本当の意味合いというものにも、到達することができないように考えられる。そこで、本稿では、和歌技法の中でも特に重要度の高いものとして一般に認識されている、掛詞（かけことば）と縁語（えんご）について取り上げて、それらの技法の背景に隠されている一般認知能力を、認知言語学の枠組み（cf. Lakoff 1987; Langacker 2008; Talmy 2000; Evans & Green 2006; 山梨 1995, 2000, 2004; 安原 2017, 2020a）の中で眺めてみたいと考えている。そうすることにより、和歌技法も、実際のところは、認知言語学の枠組みにおいて提案されてきた認知プロセスの中で、十二分に理解・把握されうるものであることを示してみたいと思う。

2. 掛詞と縁語の定義

　和歌において用いられるところの技法として一般に認識されている、掛詞（かけことば）と縁語（えんご）の定義について、まずは簡単に紹介しておきたい。各々の技法は、一般には、次のように定義されるのが通常のようである。

（1）掛詞（かけことば）：
　　a．同音異義を利用した技巧で、一つの語句に二義、まれに三義を言い掛ける。

（谷山茂・猪野謙二・村井康彦・本多伊平［編］『新訂国語総覧
（第五版）』京都書房 2010 年 p. 110)
　　ｂ．同音異義を利用して、１語に二つ以上の意味を持たせたもの。

（『広辞苑（第六版)』岩波書店）

（２）縁語（えんご）：
　　ａ．一首の中に意味上たがいに関係の深い語が二つ以上詠みこまれ
　　　たものをいう。

（谷山茂・猪野謙二・村井康彦・本多伊平［編］『新訂国語総覧
（第五版）』京都書房 2010 年 p. 111)
　　ｂ．歌文中で、ある言葉との照応により表現効果を増すために使う、
　　　その言葉と意味上の縁のある言葉。

（『広辞苑（第六版)』岩波書店）

　いずれの定義を眺めても、それを読んだだけで、ある程度の意味は、十分に飲み込めるものと考えられる。すなわち、掛詞（かけことば）とは、同音異義の認識に基づいて、１つの語彙に対して、２つ以上の意味が掛け合わされるという技法のことであり、また、縁語（えんご）とは、結びつきの強い語彙が２つ以上、その和歌の中で使用されるという技法のことであると言えるわけである。

　以下では、このような和歌技法が、どのような一般認知能力によって支えられているのかについて、１つの具体事例に着目しながら、認知言語学の観点から、筆者なりの考察を加えてみたいと考えている。なお、ここで提示する１つの具体事例とは、下記の（３）に挙げた和歌である。

（３）花の色は移りにけりないたづらにわが身世にふるながめせしまに

　　　　　　　　　　　　　　　　　　　　　　　　　　（小野小町）

　この和歌は、小野小町の代表作とも言えるもので、その出典は『古今和歌集（春下)』である。また、この和歌は、『小倉一人一首』の第九歌とし

ても、比較的よく知られているものである。

　（3）の和歌の全体的な意味合いとしては、下記のような感じであるが、ここでは、参考までに、2種類の現代語訳を挙げておきたいと思う。

（4）a．桜の花の色は、すっかりあせてしまったことだ。せっかく咲いたのに、長雨が降り続いて賞美する暇もないうちに。同じように私自身の容貌もすっかり衰えてしまったことだ。ただむなしくもの思いにふけっている間に。

（浜本純逸 ［監修］『基礎学習システム 必修古文（第7刷）』
数研出版 1995 年 p. 175）

　　　　b．桜の花（と同じように私の容色は）すっかり衰えてしまったなあ。むなしくわが身にふる長雨を眺め暮らし、物思いに沈んでいるうちに。

（谷山茂・猪野謙二・村井康彦・本多伊平 ［編］『新訂国語総覧
（第五版）』京都書房 2010 年 p. 98）

3. 掛詞の認知プロセス

　（3）の和歌に使用されている掛詞としては、下記の（5）で明確に示されているように、2つのものを指摘することができる。

（5）二つの大きな意味の流れから成り立っている。図示すると次のようになる。

　　　［桜の花の色］　…　あせてしまった　…（降る）（長雨）
　　　花の色は／移りにけりな／いたづらに／わが身世にふる／ながめせしまに
　　　［私の容色］　…　衰えてしまった　…（経る）（眺め）

（浜本純逸 ［監修］『基礎学習システム 必修古文（第7刷）』
数研出版 1995 年 p. 177 ［一部改変］）

つまり、ここでは、（5）において下線で示されている部分に、掛詞が使用されているのである。具体的には、「ふる」と「ながめ」の2つの箇所に、ここでは注目してもらいたい。まず、「ふる」に関しては、「ふる」と

いう 1 つの語彙でもって、「降る」の意味と「経る」の意味を重ねて用いている点に、掛詞としての特徴が顕著に表出されている。同様に、「ながめ」に関しても、「ながめ」という 1 つの語彙でもって、「長雨」の意味と「眺め」の意味がダブって使用されている点に、掛詞としての技法が際立っているものと考えられる。

　したがって、このような基本的な考察を前提にして考えていくと、認知言語学の観点からは、掛詞と呼ばれる和歌技法は、その背景に、音声レベルでのメタファーが潜んでいるものと理解することが可能となってくる。認知言語学の研究領域では、メタファー（metaphor）と称される認知プロセスは、意味的な類似性に基づいて確立されてくる概念関係のことを一般に指示しているのであるが（cf. Lakoff & Johnson 1980, 1999; Lakoff 1987; Kövecses 2002, 2005）、ここでは、意味的な類似性ではなく、音声的な類似性に着目して確立されてくる概念関係に焦点を当てて、それを掛詞の背景にある基礎原理として、一般に理解しているのである。つまり、意味レベルで認識されてくる類似性に注目すればメタファーが成立してくるように、音声レベルで認識されてくる類似性に着目することで、音声レベルのメタファーが成立してくることが、掛詞の背景に存在する認知プロセスであるというわけである。

　一般に、音声レベルのメタファーというのは、分かりやすく言えば、だじゃれ（pun）の原理と同様であり、音声レベルの類似性が、その認知プロセスの成立に密接に関与しているものと言える。例えば、下記のだじゃれにおいて、下線を施した部分に注目してみてもらいたい。

（6）だじゃれの具体事例：
　　　a．アルミ缶の上にある蜜柑
　　　b．何度かけても電話に出んわ！

（6a）では「アルミ缶」と「ある蜜柑（みかん）」の間に /arumikan/ という音声的類似性が、そして同様に、（6b）では「電話」と「出んわ」の間に /denwa/ という音声的類似性が、明確に感じられるはずである。

　したがって、掛詞の場合にも、これと同様の原理が機能していると言えるわけである。すなわち、（5）に示したように、「降る」と「経る」の間に /furu/ という音声的類似性が、また「長雨」と「眺め」の間に /nagame/ という音声的類似性が、そこには明確に存在していることが理解できる。

　このように考えていくと、掛詞の背景に潜んでいる認知プロセスとしては、音声的類似性に基づいて確立されてくる音声レベルのメタファーが、その背景で重要な働きをしていることは一目瞭然である。筆者は、このような形で、音声的類似性に着目した音声レベルのメタファーのことは、だじゃれ（pun）に観察されるメタファー（metaphor）であると解釈することで、それらを組み合わせて、一般にパンタファー（puntaphor）と呼んでいる（cf. 安原 2020b, etc.）。したがって、掛詞の背景に存在していると考えられる認知プロセスとしては、より厳密には、パンタファーがその働きを決定づけているものとして、ここでは理解していくことが可能である。

4．縁語の認知プロセス

　次に、縁語の方であるが、（3）の和歌においては、下記の（7）に指摘されるように、1つの縁語関係が認識できるようである。

　（7）一方の意味である、「桜の花」が長雨のせいで色あせていくという表現に、「（長）雨」と「降る」という強い縁のある言葉が用いられている。このように強い縁故関係にある言葉のつながりを利用する技巧を**縁語**という。

（浜本純逸［監修］『基礎学習システム 必修古文（第7刷）』
数研出版 1995 年 p. 177）

つまり、この和歌においては、「（長）雨」と「降る」という語彙の間に、縁語としての認識が備わってきていると言えるのである。これは、「雨」と言えば、「降る」とか「止む」とか「濡れる」とかといった語彙と一緒に使用されやすいという一般的傾向からも、率直に理解していくことが可能である。

　そうなると、「雨」と「降る」という２つの語彙を強力に結び付けているのは、認知言語学的な観点から捉え直すと、「雨」のフレームが頭の中に喚起されているということになる。フレーム（frame）という術語は、端的に言えば、日常経験を経る中で頭の中におのずと蓄積されてくる一般知識のことを意味している（cf. Fillmore 1982, 1985）。したがって、この和歌の場合には、「雨」のフレームを頭の中に喚起することによって、「雨」という語彙から「降る」という語彙に到達することで、両者の間に強い意味的な結びつきが生まれたものと推測することができる。すなわち、１つのフレームの中に位置づけられている概念を複数、頭の中に喚起すれば、それらはおのずと縁語としての認識を得ていくものと、一般には考えられるのである。したがって、「雨」と「降る」という２つの語彙は縁語関係の認識を得ることができるが、これに対して、「雨」と「体操する」とでは、１つのフレーム内に収まりにくく、結果的には２つのフレームが喚起されてしまうことになるので、縁語関係の認識は得られなくなってしまうと言える。

　このように考えてくると、縁語と呼ばれる和歌技法も、認知言語学の枠組みの中で、きちんと捉えられることが分かってくる。すなわち、縁語というのは、同一フレーム内に位置づけられる関連語彙によって成立してきているので、縁語はフレーム喚起と称される認知プロセスと密接に関係しているのである。

5. その他の認知プロセス

　本論では、掛詞と縁語と呼ばれる２つの和歌技法について、認知言語学の観点から、その分析を施してきたが、認知言語学的な視点からという意味では、さらに興味深い認知プロセスが、（３）の和歌の中には観察されるので、最後に、それらについて、いくつか指摘しておきたい。

　まず、（３）の和歌の冒頭に登場してきている「花」という語彙は、（４）の現代語訳からも理解できるように、ここでは、「桜の花」を指して、用いられている。これは、認知言語学の枠組みの中では、シネクドキー（synecdoche）と称される認知プロセスに依存している。この場合は、「花」

と述べることで、より詳細な花の種類として「桜」を特定化しているので、上位概念で下位概念を指示していくシネクドキーが、ここでは機能しているものと考えられる。

　次に、（3）の和歌では、自然現象として一般に理解される「桜の花」に対して、恋愛的な感情を備えた「わが身」を重ね合わせることで、1つの和歌としてその詠み込みが行われている点では、「わが身」を「桜の花」で喩えるという概念構造も、この和歌の中には見え隠れしていると言える。その意味では、この和歌それ自体が、メタファー（metaphor）の構造を備えているとも理解することが可能である。

　そして、（3）の和歌がメタファー構造を備えているということになれば、「桜の花」のイメージと「わが身」のイメージが混ざり合わさった形で、この和歌に読みの深みを与えていっているという点では、ブレンディング（blending）の認知プロセス（cf. Fauconnier & Turner 2002, 2006; Coulson 2001）も、ここでは機能してきているものと考えられる。つまり、「桜の花」に「わが身」を重ね合わせていくこと（すなわちブレンドしていくこと）で、この和歌が持っているそれ独自の風情や趣といったものを、読者は感じ取っていくことができるようになるのである。

6. おわりに

　本論では、掛詞と縁語と呼ばれる2つの和歌技法を取り上げて、認知言語学の枠組みの中で、これらの技法の分析を試みてみた。その結果、掛詞についてはパンタファーの認知プロセスが、縁語についてはフレーム喚起という認知プロセスが、その背景で重要な働きを担っていることが明らかとなった。また、本論で取り上げた（3）の和歌の鑑賞においては、パンタファーに基づく掛詞やフレーム喚起に基づく縁語に加えて、シネクドキーやメタファー、さらにはブレンディングの認知プロセスも、積極的に関与していることを明らかにした。この意味では、認知言語学の枠組みにおいて提案されてきた認知プロセス（ないしは一般認知能力）は、日本の古典文学の鑑賞や分析などにおいても、大いに有益な視点をもたらしうる可能性があることが、本論の議論を通して、部分的にではあるが、提示で

きたものと思われる。

参考文献

Coulson, Seana. (2001) *Semantic Leaps: Frame-Shifting and Conceptual Blending in Meaning Construction.* Cambridge: Cambridge University Press.

Evans, Vyvyan, and Melanie Green. (2006) *Cognitive Linguistics: An Introduction.* Edinburgh: Edinburgh University Press.

Fauconnier, Gilles, and Mark Turner. (2002) *The Way We Think: Conceptual Blending and the Mind's Hidden Complexities.* New York: Basic Books.

Fauconnier, Gilles, and Mark Turner. (2006) "Mental Spaces: Conceptual Integration Networks." In: Dirk Geeraerts (ed.), *Cognitive Linguistics: Basic Readings*, pp. 303-371. Berlin/New York: Mouton de Gruyter.

Fillmore, Charles J. (1982) "Frame Semantics." In: The Linguistic Society of Korea (ed.), *Linguistics in the Morning Calm*, pp. 111-137. Seoul: Hanshin Publishing Co.

Fillmore, Charles J. (1985) "Frames and the Semantics of Understanding." *Quaderni di Semantica* 6(2): 222-254.

Kövecses, Zoltán. (2002) *Metaphor: A Practical Introduction.* Oxford: Oxford University Press.

Kövecses, Zoltán. (2005) *Metaphor in Culture: Universality and Variation.* Cambridge: Cambridge University Press.

Lakoff, George. (1987) *Women, Fire, and Dangerous Things: What Categories Reveal about the Mind.* Chicago: The University of Chicago Press.

Lakoff, George, and Mark Johnson. (1980) *Metaphors We Live By.* Chicago: The University of Chicago Press.

Lakoff, George, and Mark Johnson. (1999) *Philosophy in the Flesh: The Embodied Mind and its Challenge to Western Thought.* New York: Basic Books.

Langacker, Ronald W. (2008) *Cognitive Grammar: A Basic Introduction.* Oxford: Oxford University Press.

Talmy, Leonard. (2000) *Toward a Cognitive Semantics, Volume 1: Concept Structuring Systems.* Cambridge, MA: MIT Press.

山梨正明 (1995)『認知文法論』東京：ひつじ書房.

山梨正明 (2000)『認知言語学原理』東京：くろしお出版.

山梨正明 (2004)『ことばの認知空間』東京：開拓社.

安原和也 (2017)『ことばの認知プロセス — 教養としての認知言語学入門 —』
　　東京：三修社.

安原和也 (2020a)『認知言語学の諸相』東京：英宝社.

安原和也 (2020b)「音声リンクとしてのパンタファー」未発表論文.

古典文学の認知プロセス

1．はじめに

　本論では、日本の古典文学を題材として、その中に観察される認知プロセスの一端を、具体事例とともに、簡単に考察してみたいと考えている。伝統的な認知言語学では（cf. Lakoff 1987; Langacker 2008; Talmy 2000; Evans & Green 2006; 山梨 1995, 2000, 2004; 安原 2017, 2020a)、現代語を中心とした研究がその主流を占めていると言えるが、それは必ずしも現代語だけに通用する認知プロセスとして理解されているわけではない。むしろ、その源流とも言うことのできる古典文学の世界にも、それが言語である以上、認知言語学の研究領域で一般に提案されてきた認知プロセスは、そこにしっかりと根を張っていると言わなければならない。本論では、筆者の力量とも相まって、ありとあらゆる認知プロセスについて取り上げることは、残念ながら叶わないわけであるが、そのいくつかの側面だけでも提示できればと思い、ここに本論をまとめてみることにした。

2．パンタファーとスキャニング

　まずは、『小倉百人一首』に第 60 番目の和歌として収録されている（1）の歌について、検討してみることにしよう。

　（1）大江山いくのの道の遠ければ　まだふみもみず天の橋立
（小式部内侍）（「大江山」『十訓抄』より）

この和歌の歌意としては、一般に、下記の（2）に示したようなものが読み取れるということである。

（2）a．大江山を越えて、生野を通って行く道のりは遠いので、（母の
　　　　いる丹後の名所）天の橋立はまだ実際に踏んでもいませんし（母
　　　　からの）手紙も見ていません。

（浜本純逸［監修］『基礎学習システム 必修古文（第7刷)』
数研出版 1995 年 p. 44)

　　　b．大江山を（通って）行く生野（いくの）の道のりは遠いから、
　　　　まだ天の橋立の地を踏んでもいませんし、（母からの）文（ふみ）
　　　　も見てはいません。

（谷山茂・猪野謙二・村井康彦・本多伊平［編］『新訂国語総覧
（第五版)』京都書房 2010 年 p. 104)

　このような歌意を念頭において考えていくと、（1）の和歌に施された技巧としては、2つのものに、ここでは注目する必要がありそうである。浜本純逸［監修］『基礎学習システム　必修古文（第7刷)』でも指摘されているように、1つは掛詞（かけことば）という技巧であり、もう1つは、その正確な名称はないものの、「名所の読み込み」に関わる技巧であると言える。

　まず、掛詞という技巧については、安原（2020b, 2021）でも議論したように、その技巧の背景では、音声レベルの類似性に着目していくパンタファー（puntaphor）と称される認知プロセスが機能的に働いてきているものと考えられる。つまり、（1）の和歌の中で観察されるパンタファーを抽出すれば、それには2つのものがあり、それらは下記の（3）のように整理していくことが可能である。

（3）掛詞（同じ発音であることを利用して、同じことばに二つの意味
　　　を持たせた修辞技巧）
　　　いくの：　行く（生野を通って行く）／生野（丹波の国の名所）
　　　ふみ：　　踏み（歩いて行く）／文（母からの手紙）

（浜本純逸［監修］『基礎学習システム 必修古文（第7刷)』
数研出版 1995 年 p. 46［一部改変])

つまり、第2句に登場している「いくの」という語彙には、「生野を通って行く」という意味での「行く」と、「丹波の国の名所」すなわち地名としての「生野」が、音声的類似性を介して掛け合わされている点に、まさにパンタファーの認知プロセスを確認していくことができる。そして、もう1つのパンタファーは、第4句のちょうど真ん中あたりに出てくる「ふみ」という語彙に対して機能しており、ここでは、「歩いて行く」という意味での「踏み」と、「母からの手紙」という意味での「文」が、先ほどと同様に、音声的類似性に基づいて、巧みに掛け合わされている点に、そのパンタファーの働きを垣間見ることができる。したがって、(3)に提示された掛詞の内実というものは、パンタファーの認知プロセスに基づいて、それが現実のものとなってきているという点に、ここでは注目する必要がある。

　次に、「名所の読み込み」に関わる技巧に関しては、それには残念ながら正確な名称は与えられていないのではあるが、どういうことかと言えば、それは次のような技巧のことを意味しているようである。

（4）名所の読み込みも技巧の一つに挙げられよう。京都から大江山、生野を経て、日本三景の一つ天の橋立へという、母のいる丹後の国にいたる道中が巧みに読み込まれて、美しいイメージの歌となっている。

（浜本純逸［監修］『基礎学習システム 必修古文（第7刷）』
数研出版 1995年 p. 46）

つまり、(4)の記述を読めば、すぐに理解できてくるように、ここでは、下記の(5)のような形で機能してくるスキャニング（scanning: cf. Langacker 2008）の認知プロセスが、(1)の和歌の中には美的なイメージとなって織り込まれていると言えるのである。

（5）スキャニングの認知プロセス：
　　　京都　→　大江山　→　生野　→　天の橋立

要するに、もっと分かりやすく言えば、京都近辺の地図を頭の中に広げた上で、「京都」から「大江山」を越えて、さらに「生野」を通り過ぎて、そして「天の橋立」へとたどっていく一連の視線の動きが、まさにここで言うところのスキャニングの認知プロセスに完全一致していると、ここでは解釈していくことができるのである。

3. プロファイリング

　プロファイリング（profiling）と呼ばれる認知プロセスは、ある特定の概念領域をベースとして認識した上で、その一部分に焦点化を施していく認知プロセスとして、一般に広く知られている（cf. Langacker 1987, 1990, 1991, 2000, 2008, 2009, 2013）。このような認知プロセスは、日常言語全般の意味理解において、きわめて重要な働きを担うものとして一般に考えられているが、文学作品の解釈を行っていく際にも、時として利用されることがある。その代表的な例としては、下記の（6）の和歌を挙げることが可能である。

　（6）唐衣きつつなれにしつましあれば　はるばるきぬる旅をしぞ思ふ
（「東下り」『伊勢物語』より）

　この歌の意味合いとしては、下記の（7）に示したような内容が、この和歌には詠み込まれているそうである。

　（7）着馴れた唐衣のように慣れ親しんだ妻が都にいるので、はるばる
　　　やってきた旅の遠さがしみじみと感じられることだ。
（浜本純逸［監修］『基礎学習システム 必修古文（第7刷）』
数研出版 1995 年 p. 63）

　ここまでの提示だけでは、（6）の和歌のどこにプロファイリングの認知プロセスが関与しているのかと疑問をいだく読者も出てくるかもしれないが、実は、この和歌には、1つの仕掛けがなされていることに、ここで

は気づく必要がある。つまり、それは、一般に、折句（おりく）と呼ばれる技巧である。折句というのは、（6）の和歌で説明すれば、下記の（8）のような構造を、その和歌の中に埋め込む技術のことを、一般に意味している。

　（8）和歌の初・二・三・四・五句のそれぞれの句のはじめに「か・き・
　　　　つ・ば・た」の五文字を順に置いて詠むこと。

（浜本純逸［監修］『基礎学習システム 必修古文（第 7 刷）』
数研出版 1995 年 p. 65）

　（6）の和歌では、句切れ目が分かりにくく、また漢字表記が混ざっているので、（8）の点は、声に出して読まない限りは、なかなか気づきにくいものと思われるが、下記の（9）のように、すべてを仮名表記にして、斜めの句切り線（／）を入れれば、（8）が述べている内容は、おのずと理解できてくるはずである。

　（9）からころも／きつつなれにし／つましあれば／
　　　　はるばるきぬる／たびをしぞおもふ

すなわち、（9）の和歌全体をここではベースとして理解した上で、下記の（10）のように、句頭の一文字にプロファイル（ここでは太字で表記）を施していけば、「か・き・つ・は・た」という 5 文字を認識できてくるようになるのである。

　（10）**か**らころも／**き**つつなれにし／**つ**ましあれば／
　　　　はるばるきぬる／**た**びをしぞおもふ

ただし、ここでは、より正確には、「か・き・つ・ば・た」という 5 文字ではなく、「か・き・つ・は・た」という 5 文字が認識されているわけであるが、この場合の「ば」と「は」の区分は多少のご愛嬌ということで、

ここでは理解しておいてもらいたい。

4. メタファー

　メタファー（metaphor）とは、周知のように、意味的な類似性に基づいて、何かを何かで喩えていく認知プロセスとして、一般に広く知られている（cf. Lakoff & Johnson 1980, 1999; Lakoff 1987; Kövecses 2002, 2005; 山梨 1988, 2007）。このようなメタファーの認知プロセスは、古典作品の中にも、当然のことながら、観察していくことが可能である。例えば、（11）に提示した和歌について、ここでは考えてみることにしたい。

　（11）　時知らぬ山は富士の嶺（ね）いつとてか　鹿（か）の子まだらに
　　　　　雪の降るらむ　　　　　　　　　　　　（「東下り」『伊勢物語』より）

　この和歌の歌意としては、（12）に示したような事柄が、ここでは詠み込まれているとのことである。

　（12）　時節を知らない山は富士の山だ。一体、今をいつだと思って、鹿の子まだらに雪が降り積むのであろうか。
　　　　　　　　　　　（浜本純逸［監修］『基礎学習システム 必修古文（第7刷）』
　　　　　　　　　　　　　　　　　　　　　　　　　　数研出版 1995年 p.64）

　一見すると、この和歌のどこにメタファーが関与しているのか、やや把握しにくいという読者の方もあるかもしれないが、ここでは、第4句の「鹿の子まだらに」という部分がメタファーとしての解釈を施されている。浜本純逸［監修］『基礎学習システム 必修古文（第7刷)』によれば、「鹿の子まだらに」というのは、「鹿の子の茶色の毛に白い斑点（はんてん）がある様子」（p.66）のことであると説明されているので、ここでは、「雪の降る様子」を「鹿の子まだら」に喩えるというメタファーが、この場合には活用されていることになる。
　したがって、メタファーと称される、比較的よく知られた認知プロセス

も、古典作品の鑑賞には欠かせない必須の認知プロセスの1つであるという点を、ここではしっかりとおさえておきたいところである。

5. メトニミー

　メトニミー（metonymy）と称される認知プロセスは、近接性に基づいて確立されてくる一種の概念関係として、一般に定義されている（cf. Lakoff and Johnson 1980, 1999; Lakoff 1987; Littlemore 2015; 山梨 1988, 2007）。現代語でメトニミーの分かりやすい例を1つ挙げれば、例えば、「大阪が叫んでいる」と発する場合、ここでの「大阪」は、実のところ、「大阪の人」のことを意味しているのであって、「大阪」という地名や場所などが叫んでいるのではないと、一般に解釈されるはずである。したがって、この場合には、「大阪」と「大阪の人」という2つの概念の間に、近接的な関係性が構築されてくることになるので、ここにはメトニミーの解釈が成立してきていると理解していくことができる。

　同様の点は、当然のことながら、古典作品においても、観察されうることとなる。例えば、下記の（13）の文章を読んでみてもらいたい。

（13）渡しもりに問ひければ、「これなむ都鳥。」と言ふを聞きて、
　　　名にし負はばいざこと問はむ都鳥　わが思ふ人はありやなしかと
　　　とよめりければ、舟こぞりて泣きにけり。

　　　　　　　　　　　　（「東下り」『伊勢物語』より［下線は筆者による］）

この場合、下線で示したように、「舟」という語彙が登場してきているが、それとセットとなって使用されている動詞は、ここでは「泣く」という動詞である。したがって、「舟が泣く」というのは、通常の解釈では不自然であると言わなければならないので、ここでは、メトニミーの解釈を適用して、その指示対象を「舟」から「舟に乗っている人」に移していけば、「泣く」という動詞とも相性がよくなり、自然な意味解釈が成り立ってくる。このような意味解釈は、（13）を現代語訳した下記の（14）にも、顕著に表出されている。

(14) 船頭に尋ねたところ、「これこそ（あの有名な）都鳥です。」と言
うのを聞いて、

　　都という名を持っているのなら、さあ、尋ねてみよう、都鳥よ。
　　私の恋しい人は無事でいるのかどうかと。

と詠んだので、舟（の中の人）は残らず泣いてしまった。

（浜本純逸［監修］『基礎学習システム 必修古文（第 7 刷）』
数研出版 1995 年 p. 65 ［下線は筆者による］）

つまり、下線部で示したように、(13) の「舟」は、(14) の現代語訳では「舟
（の中の人）」と括弧書きで補足が施されている点に、ここでのメトニミー
の働きを十全に見出していくことが可能である。

6. ズーム・イン

　先の (13) の例にあったように、「舟」から「舟に乗っている人」をメ
トニミー的に特定していく場合には、まずは船全体が認識されて、それか
ら舟に乗っている人へとそのフォーカスが絞り込まれてくる様子が、見え
隠れしているように思われる。このような認知プロセスも、言うまでもな
く、メトニミーの一種として認識されるのは事実であるのだが、それに加
えて、全体の対象からその中身の部分へと、その焦点が狭まってきている
という点では、ズーム・イン（zooming-in: cf. 山梨 2004; 安原 2017）の認
知プロセスが関与しているとも、一般には理解されうるところである。

　したがって、(13) の例で取り上げたメトニミーの認知プロセスも、よ
り厳密に規定していくならば、ズーム・インの認知プロセスによって、そ
れが可能となっていることが分かってくるようになる。同様の点は、下記
の (15) の例文においても、一般に観察されるところである。

(15) 信濃（しなの）の国に更級（さらしな）といふ所に、男住みけり。

（「姨捨」『大和物語』より）

　この文を現代語訳すれば、(16) のようになってくるので、そこに働い

てきているズーム・インの認知プロセスは、容易に特定していくことができそうである。

　(16) 信濃の国の更級という所に、男が住んでいた。

（浜本純逸［監修］『基礎学習システム 必修古文（第7刷）』
数研出版 1995年 p. 74）

つまり、下記の (17) に示したように、まずは、「信濃の国」が頭の中にイメージされて、その中で、「更級」と呼ばれる場所を特定し、そしてさらには、その更科と呼ばれる場所の中に、「男」を見出していくというズーム・インの認知プロセスが、ここでは機能しているのである。

　(17) ズーム・インの認知プロセス：
　　　　信濃の国　→　更級　→　男

　したがって、前節で取り上げた (13) の例と、本節で取り上げた (15) の例では、いずれも、ズーム・インの認知プロセスが関与することで、その意味解釈が行われてきている点に、ここでは注目する必要がある。

7. おわりに

　本論では、日本の古典文学をその具体事例として取り上げて、その中で観察される認知プロセスの一端を、認知言語学の枠組みの中で提案されてきた認知プロセス（ないしは一般認知能力）の観点から、簡単に分析を施してきた。その結果、パンタファー、スキャニング、プロファイリング、メタファー、メトニミー、ズーム・インといった認知プロセスが、古典作品の意味解釈の中でも重要な働きを担っていることが明らかとなった。一般に、認知言語学の研究領域では、現代語を対象とする研究がその多くを占めているのが実状ではあるが、本論で議論したように、古典語を対象とする認知言語学的研究も、今後は幅広く行われてくることを期待して、本論を終えたいと思う。

参考文献

Evans, Vyvyan, and Melanie Green. (2006) *Cognitive Linguistics: An Introduction*. Edinburgh: Edinburgh University Press.

Kövecses, Zoltán. (2002) *Metaphor: A Practical Introduction*. Oxford: Oxford University Press.

Kövecses, Zoltán. (2005) *Metaphor in Culture: Universality and Variation*. Cambridge: Cambridge University Press.

Lakoff, George. (1987) *Women, Fire, and Dangerous Things: What Categories Reveal about the Mind*. Chicago: The University of Chicago Press.

Lakoff, George, and Mark Johnson. (1980) *Metaphors We Live By*. Chicago: The University of Chicago Press.

Lakoff, George, and Mark Johnson. (1999) *Philosophy in the Flesh: The Embodied Mind and its Challenge to Western Thought*. New York: Basic Books.

Langacker, Ronald W. (1987) *Foundations of Cognitive Grammar, Vol.1: Theoretical Prerequisites*. Stanford: Stanford University Press.

Langacker, Ronald W. (1990) *Concept, Image, and Symbol: The Cognitive Basis of Grammar*. Berlin/New York: Mouton de Gruyter.

Langacker, Ronald W. (1991) *Foundations of Cognitive Grammar, Vol.2: Descriptive Application*. Stanford: Stanford University Press.

Langacker, Ronald W. (2000) *Grammar and Conceptualization*. Berlin/New York: Mouton de Gruyter.

Langacker, Ronald W. (2008) *Cognitive Grammar: A Basic Introduction*. Oxford: Oxford University Press.

Langacker, Ronald W. (2009) *Investigations in Cognitive Grammar*. Berlin/New York: Mouton de Gruyter.

Langacker, Ronald W. (2013) *Essentials of Cognitive Grammar*. Oxford: Oxford University Press.

Littlemore, Jeannette. (2015) *Metonymy: Hidden Shortcuts in Language, Thought and Communication*. Cambridge: Cambridge University Press.

Talmy, Leonard. (2000) *Toward a Cognitive Semantics, Volume 1: Concept Structuring Systems*. Cambridge, MA: MIT Press.

山梨正明 (1995)『認知文法論』東京：ひつじ書房.

山梨正明 (2000)『認知言語学原理』東京：くろしお出版．

山梨正明 (2004)『ことばの認知空間』東京：開拓社．

山梨正明 (1988)『比喩と理解』東京：東京大学出版会．

山梨正明 (2007)『比喩と理解（新装版）』東京：東京大学出版会．

安原和也 (2017)『ことばの認知プロセス ― 教養としての認知言語学入門 ―』
　　東京：三修社．

安原和也 (2020a)『認知言語学の諸相』東京：英宝社．

安原和也 (2020b)「音声リンクとしてのパンタファー」未発表論文．

安原和也 (2021)「和歌技法の認知言語学 ― 掛詞と縁語を中心に ―」本書所収論文．

「なぞなぞ」の認知意味論

1. はじめに

　言語学（linguistics）という学問領域において、「なぞなぞ（riddle）」という現象を研究対象として据えることには、幾分の躊躇いもあるのかもしれない。その理由として挙げることができるのが、従来的な言語学においては、「なぞなぞ」は積極的な言語現象として本格的な議論がほとんど行われてこなかったという事実である。この点を反映して、一般に「なぞなぞ」研究と言えば、民俗学（folklore）や心理学（psychology）などとの結び付きがきわめて強く（cf. Abrahams & Dundes 1972; Shultz 1974; McDowell 1979; Pepicello & Green 1984; 江口 1990; 高橋 2003; etc.）、言語学と「なぞなぞ」研究の関係は極めて希薄なものであったと言わざるを得ないところである。

　しかしながら、近年の動向としては、言語領域におけるきわめて周辺的な言語現象としてしか一般に認識されてこなかった「なぞなぞ」現象に関しても、それを研究対象とした学術論文が、少ないながらも、出始めてきているのも事実である。なかでも、認知言語学（cognitive linguistics）という新しい言語科学のパラダイムを中核に据えた上で、「なぞなぞ」現象を議論・分析していこうとする方向性も、部分的には見出されつつあると言える（cf. 杉本 2002; Yasuhara 2004; 安原 2007, 2014, 2018, etc.）。

　筆者も、「なぞなぞ」現象を言語学の研究領域の中に、それが言語現象であると理解される以上は、積極的に組み込んでいくべきであると考える論者の1人ではあるのだが、伝統的な言語学分野においては、「なぞなぞ」現象を議論・分析していくことは、ある意味で至難の業と言っても過言ではない。それは、その理論上の制約に関わる部分で、既にお手上げとなっ

てしまうようからである。しかしながら、先にも述べたように、認知言語学の柔軟な枠組みを活用していけば、意外にもそれは現実的なものになってくるようにも思われる。

　本論では、このような方向性に着目しつつ、認知言語学の観点から「なぞなぞ」現象にどのようにアプローチしていくことができるのかの一端を、具体事例を取り上げつつ、紹介してみたいと考えている。特に、「なぞなぞ」という言語現象そのものが備える概念構造（conceptual structure）をどのように理解・把握していくべきかという点に注目しながら、認知言語学の観点から「なぞなぞ」現象を分析していく1つの方法を提案してみたいと思う。

2．言語構造と言語知識

　「なぞなぞ」の概念構造（もしくは「なぞなぞ」の認知モデル）について考察していく際には、まずは、言語とはどのような構造を成しているのかについて、率直に規定しておく必要がある。本論では、認知言語学（より具体的には認知文法）の枠組みの中で提案されるところの記号的文法観（the symbolic view of grammar: cf. Langacker 1987, 1990, 2008, 2013, etc.）の考え方に、この点は依拠したいと考えている。すなわち、この考え方の下では、形態素・語・句・節・文・談話などといったあらゆる言語単位のレベルが、一方には音の構造を持ち、もう一方には意味の構造を持つといった、ペア形式の構造（すなわち記号構造）で成り立っているものとして、一般に理解されている。したがって、なぞなぞの土台となりうる言語の基本構造としては、このような音と意味を組み合わせた記号構造（symbolic structure）が、その主役を担ってくると言っても過言ではない。

　なお、言語の基本構造という場合には、もう1つ忘れてはならないのが、文字という側面である。この点は、認知文法の枠組みの中でも指摘されてきたように、文字は音の構造を表記するためのものであるという意味で、音の構造の付随物として、ここでは理解しておきたいと考えている。つまり、音の構造の中には、音の知識と文字の知識の両者が組み込まれているものとして、ここでは理解しておきたいと考えている。

　したがって、このような形で、言語の基本構造を規定していくと、言語知識の構造としては、次のような分類が可能になってくるように思われる。

（1）言語知識の分類：
　　　ａ．メタ言語知識：音や文字そのものについての言語知識のこと。
　　　ｂ．対象言語知識：意味そのものについての言語知識のこと。

すなわち、言語知識の構造としては、大きく分けて、（１ａ）のメタ言語知識と（１ｂ）の対象言語知識に二分されうるということである。前者のメタ言語知識（meta-linguistic knowledge）においては、一般に、音や文字に関わる言語知識のことを意味しており、したがって、「ま行の音を発音する際には唇が閉じる」といった音声上の知識や、「「レモン」ということばは仮名の場合には３文字で表記される」といった文字上の知識が、ここで言うところのメタ言語知識となってくる。これに対して、後者の対象言語知識（object-language knowledge）に関しては、基本的に、ことばの意味に関わる知識として認識されうるものであるので、それを端的に言えば、認知言語学でいうところのフレーム知識（cf. Fillmore 1982, 1985）のことであると理解するのが、比較的分かりやすいものと思われる。したがって、「レモン」ということばが有する対象言語知識としては、「レモン」ということばを聞いて、頭の中に喚起できるレモンの一般的なイメージ（黄色の食べ物など）のみならず、それが「酸っぱい」という特徴を持っているといった経験的な情報なども、その知識の中に含まれるものとして、一般に規定されうる。

　したがって、このような言語知識を活用すれば、簡易的な「なぞなぞ」を作成することも容易となる。例えば、「ま行の音を発音する際には唇が閉じる」といったメタ言語知識（すなわち音声上の知識）を活用すれば、下記の（２）のような「なぞなぞ」を作り出すことが可能である。

（2）その音を発音すると、唇が閉じてしまう音って、なあに？
　　　［答え］ま行の音（ま／み／む／め／も）

また、「「レモン」ということばは仮名の場合には３文字で表記される」と
いったメタ言語知識（すなわち文字上の知識）、および「レモンは黄色く
て酸っぱい食べ物である」といった対象言語知識を活用すれば、下記の（３）
のような「なぞなぞ」を構築していくことも可能である。

（３）仮名で書くと３文字で、黄色くて酸っぱい食べ物って、なあに？
　　　［答え］レモン

　ただし、ここで注意すべきは、（２）の「なぞなぞ」の場合にはその構
築においてメタ言語知識しか活用されていないのに対して、（３）の「な
ぞなぞ」の場合にはその構築においてメタ言語知識と対象言語知識の両者
がともに活用されているという点である。そうなると、理論的に考えれば、
対象言語知識のみを用いた「なぞなぞ」も、現実的には構築可能であると
いうことになってくるはずである。事実、対象言語知識のみを活用して、
下記の（４）のような「なぞなぞ」を構築することも、実際には可能である。

（４）表面は黄色くて、口にすると酸っぱい食べ物って、なあに？
　　　［答え］レモン

　（３）の「なぞなぞ」と（４）の「なぞなぞ」とでは、その答えは完全
に一致しているのにもかかわらず、その問題文の構築方法に関しては、１
つの大きな違いが存在している。すなわち、（３）の「なぞなぞ」の場合
には、メタ言語知識と対象言語知識の両者がともに活用されているのに対
して、（４）の「なぞなぞ」の場合には、メタ言語知識はまったく活用さ
れず、対象言語知識のみがその活用の対象となっているのである。
　したがって、以上見てきたように、「なぞなぞ」の作成に活用される言
語知識のパターンとしては、大きく分けて、３つのものを特定していくこ
とができるように思われる。すなわち、（２）に代表されるようなメタ言
語知識のみを活用するパターン、（４）に代表されるような対象言語知識
のみを活用するパターン、そして（３）に代表されるようなメタ言語知識

と対象言語知識の両者を活用するパターンの、全部で３つである。各々の
パターンは、下記の（５）に示されるように、それぞれ、「メタなぞなぞ」
「対象なぞなぞ」「複合なぞなぞ」という呼称を、便宜的にではあるが、こ
こでは与えておきたいと思う。

（５）言語知識に基づく「なぞなぞ」分類：
　　　　a．メタなぞなぞ：メタ言語知識のみを活用するパターン
　　　　　（e.g.（２））
　　　　b．対象なぞなぞ：対象言語知識のみを活用するパターン
　　　　　（e.g.（４））
　　　　c．複合なぞなぞ：メタ言語知識と対象言語知識の両者を活用す
　　　　　るパターン（e.g.（３））

3．類似性認識の認知プロセス

　しかしながら、前節で考察してきたように、言語知識の基本構造を整理
すれば、それだけで「なぞなぞ」という言語現象（ないしは「なぞなぞ」
の概念構造）は十分に理解できるとは、到底考えることができないはずで
ある。というのも、「なぞなぞ」という現象には、さらに複雑な認知プロ
セス（cognitive process）が大きく関与しているからである。そして、この
ような認知プロセスを活用するからこそ、ある意味で謎めいた概念構造を
持つ「なぞなぞ」というものも、生み出されてくることになる。
　先の（２）〜（４）に挙げた具体事例も、確かに「なぞなぞ」と呼べる
ものには違いないのではあるが、何かしらそこにひねりがないという意味
では、かなり素朴な「なぞなぞ」であると言えるかもしれない。そこで、
ここで言う意味でのひねりを組み込んだ「なぞなぞ」を構築していく場合
には、上記に示した言語知識の基本構造（（１）参照）をベースとしつつ、
且つ認知言語学で一般に提案されてきた認知プロセスをも活用しつつ、独
特の視点を持った新たな知識、つまりここで言うところのひねりを組み込
んだ概念構造を創造していく必要がある。
　この場合、特に重要となってくる認知プロセスとしては、メタファーと

パンタファーを挙げることができる。メタファー（metaphor）というのは、よく知られているように、何かを何かで喩えていく認知プロセスのことであるが（cf. Lakoff & Johnson 1980, 1999; Lakoff 1987; Kövecses 2002, 2005; 山梨 1988, 2007）、これは要するには、上記に示した言語知識でいうところの対象言語知識間に設定される類似性認識のことであると、ここでは理解すればよい。つまり、２つの対象言語知識が頭の中に喚起された場合に、その間に感じられてくる類似性認識のことが、要するにはメタファーという認知プロセスのことなのである。例えば、「鈴なりの柿」という言語表現はよく耳にすることばであると言えるが、これは、「柿」と「鈴」の対象言語知識間に類似性認識のリンクを張ることによって、そのメタファーは成立してきているものと考えられる。つまり、「柿」の対象言語知識の中に、その柿の木がいっぱいの実をつけているイメージを喚起させているとすれば、その状況が「鈴」のように見えてくるようになり、それによって、「鈴」の対象言語知識も、おのずと頭の中に喚起されてくるようになる。そして、結果的には、このような形で喚起された「柿」と「鈴」の対象言語知識間に、類似性認識のリンクを設定することによって（（６）参照）、ここで言われるところのメタファーの概念構造が成立してくることになっているのである。

（６）メタファーの認知プロセス：　柿 ― 鈴

したがって、（６）のようなメタファー認識に基づけば、下記の（７）のような「なぞなぞ」を構築していくことも、実のところ、可能となってくる。

（７）実が鈴のようになる果物って、なあに？
　　　［答え］柿

この場合、「実が鈴のようになる」という表現それ自体がメタファーの構造を有することになるので、ここに１つのひねりが構造化される結果と

　なっている。なお、（7）の「なぞなぞ」の中には、「果物」という知識が登場してきているが、これは「柿」の対象言語知識からもたらされる付随知識の一部として、一般には理解することができる。すなわち、「柿」という対象言語知識から、「それは果物の一種である」という付随的な対象言語知識にアクセスすることで、その知識は獲得できることになっているので、これは認知言語学でいうところのメトニミー（metonymy: cf. Lakoff and Johnson 1980, 1999; Lakoff 1987; Littlemore 2015; 山梨 1988, 2007）と呼ばれる認知プロセスが、ここでは機能してきているものと考えられる。つまり、特定の対象言語知識の中に存在している付随的な知識の一部を引き出すことは、まさに参照点能力（reference-point ability: cf. Langacker 1993）の働きをしていることになるので、それは要するにメトニミー的な機能を有していると言っても過言ではないことになるのである。

　これに対して、パンタファーと呼ばれる認知プロセスは、メタ言語知識間に設定される類似性認識のことであると、広義には理解することができる。しかしながら、メタ言語知識は、大きく分けると、音声レベルの知識と文字レベルの知識に一般に区分されるので、音声レベルの類似性と文字レベルの類似性も、同様に区分した方が便宜的にはよいようにも思われる。したがって、本論では、音声レベルの類似性認識のことをパンタファー（puntaphor: cf. 安原 2020a, 2021a, 2021b）と呼び、これに対して、文字レベルの類似性認識のことはキャラファー（charaphor: cf. 安原 2020b）と呼んで、一般に区分することを提案しておきたいと思う。

　まず、音声レベルの類似性認識を意味するパンタファーは、最も分かりやすく言えば、それはだじゃれ（pun）のことである（なお、パンタファーはだじゃれ（pun）とメタファー（metaphor）のブレンド語である）。つまり、「柿」という果物は、/kaki/ という音声的類似性の観点から見ていけば、「牡蠣」「夏季」「下記」「火気」などのことばとつながっているものと考えられるので、それらの間には、パンタファーの概念構造を成立させる土台が整っているものと理解することができる。したがって、「柿」という音声レベルのメタ言語知識と、例えば「夏季」という音声レベルのメタ言語知識が、その音声的類似性に基づいてリンクを張っていった場合には、そ

れらの間には、（8）に挙げるようなパンタファーの概念構造が仕上がってくることになる。

（8）パンタファーの認知プロセス：　柿 /kaki/ 　—　夏季 /kaki/

　そうなると、このリンク形成に基づいて、下記の（9）のような「なぞなぞ」を構築していくこともできるようになる。

（9）夏に食べたくなるようなフルーツって、なあに？
　　　［答え］柿

この場合、パンタファーの認知プロセスによって、「柿」の記号構造と「夏季」の記号構造が頭の中に喚起されることになるので、（9）の「夏に」という情報は「夏季」の方の対象言語知識から導き出されてきていることが分かる。これに対して、「食べたくなるようなフルーツ」という情報は、「柿」の方の対象言語知識から出てきているものとして、一般に推定される。したがって、（9）のような「なぞなぞ」を検討していくと、情報の引き出し方として、1つの興味深い事実が見えてくることになる。つまり、先ほどの（7）の「なぞなぞ」では、メタファーの認知プロセスに基づいて、対象言語知識が活用されて、その「なぞなぞ」が構築されていたのであるが、（9）の「なぞなぞ」においては、パンタファーの認知プロセスを介して、（メタ言語知識の活用ではなく）対象言語知識の活用による「なぞなぞ」構築が観察されているのである。したがって、（9）の「なぞなぞ」の場合には、「柿」の記号構造と「夏季」の記号構造が頭の中に喚起された上で、その間に音声レベルのメタ言語知識に基づく類似性認識（すなわちパンタファーのリンク関係）が設定されて、それに基づいて、「柿」と「夏季」の対象言語知識にアクセスしてきているという点に、ここでは特に注目する必要がある。つまり、「柿」と「夏季」の音声リンクによって、「柿」の記号構造と「夏季」の記号構造が頭の中に喚起されて、その上で、「柿」と「夏季」の対象言語知識の情報が引き出されてきているのである。した

がって、このような情報の引き出し方の背景においても、メトニミーの認知プロセス（あるいは参照点能力）が、ここでは重要な働きを担っているものとして、一般に理解することができる。すなわち、「柿」という音声から「食べる」や「フルーツ」といった対象言語知識にアクセスできるのも、「夏季」という音声から「夏」といった対象言語知識にアクセスできるのも、そこにはメトニミーの認知プロセス（あるいは参照点能力）が働いてくるからこそ、それが可能となっている点に、ここでは注目していく必要がある。

　次に、キャラファーの認知プロセスについては、それは、文字レベルの類似性認識のことを、一般に意味している（この場合も、キャラファーは文字(character)とメタファー(metaphor)のブレンド語である）。したがって、例えば「柿」という漢字をよくよく観察していけば、その右側部分は「市」という漢字で構成されていることに気づかされることになるはずである。そうなると、「柿」という文字レベルのメタ言語知識と「市」という文字レベルのメタ言語知識とが、文字レベルの類似性に基づいてリンクを結ぶことが可能となってくる。すなわち、まさにこのリンク関係の構築に、キャラファーと呼ばれる認知プロセスが関与してくることになっているのである（(10) 参照）。

(10) キャラファーの認知プロセス：　柿 ― **市**

　したがって、(10) のようなキャラファーに基づけば、下記の（11）のような「なぞなぞ」を作り出していくことも可能となる。

(11) 市にあるフルーツって、なあに？
　　　［答え］柿

この場合、「市」という情報は、キャラファーに基づいて頭の中に喚起された「市」の記号構造から抽出されるわけであるが、その場合、「市」という文字（すなわちメタ言語知識）から「市」という意味（すなわち対象

言語知識）へと、その概念がシフトされるという意味でのメトニミーが、ここでは生じているものと推定される。これに対して、「フルーツ」という情報は、「柿」の記号構造から導出されてきており、この場合にもメトニミー（あるいは参照点能力）が関与し、「柿」という対象言語知識の中を探索して、「それがフルーツの一種である」という付随知識を見つけ出してきているものと考えられる。したがって、(11) の「なぞなぞ」においては、文字の類似性として理解される (10) におけるキャラファーがその発端となって、その「なぞなぞ」が構造化されてきていることが分かる。

　以上の類似性認識に関わる考察を踏まえて考えれば、類似性認識の観点からは、結果として、3タイプの「なぞなぞ」分類を提案することができるかもしれない。すなわち、(12) に示したように、メタファーを発端とする「なぞなぞ」、パンタファーを発端とする「なぞなぞ」、そしてキャラファーを発端とする「なぞなぞ」の3タイプである。ここでも、各々のタイプの「なぞなぞ」に名称を与えておいた方が便宜的であるので、それぞれ、「メタファーなぞなぞ」「パンタファーなぞなぞ」「キャラファーなぞなぞ」という名称を与えておくことにしたい。

(12) 類似性認識に基づく「なぞなぞ」分類：
　　　a．メタファーなぞなぞ：メタファーを発端とする「なぞなぞ」
　　　　（e.g.（7））
　　　b．パンタファーなぞなぞ：パンタファーを発端とする「なぞなぞ」
　　　　（e.g.（9））
　　　c．キャラファーなぞなぞ：キャラファーを発端とする「なぞなぞ」
　　　　（e.g.（11））

4.「なぞなぞ」の認知モデル

　「なぞなぞ」の概念構造（もしくは「なぞなぞ」の認知モデル）においては、意味的類似性に基づくメタファー、音声的類似性に基づくパンタファー、そして文字的類似性に基づくキャラファーが、重要な働きを担っていることは、前節の議論でも明らかになったところである。しかしながら、これ

らの認知プロセスが重要な働きを担っていることは理解できたとしても、その概念構造をまとめ上げる枠組みというものが、やはり必要であることも確かなことである。そこで、これまでに議論してきた、言語構造と言語知識、そして類似性認識に基づく認知プロセスを組み込んだ上で、「なぞなぞ」の概念構造を把握できる認知モデルの構造化を、ここで試みる必要がありそうである。

　結論から言えば、そのような条件を飲み込んだ上で、「なぞなぞ」の認知モデルの概念基盤として機能できる枠組みを、認知言語学の研究領域の中から指摘するとすれば、概念ブレンディング理論（conceptual blending theory: cf. Fauconnier & Turner 2002, 2006）が、その役割を最も適切に果たしてくれるように思われる。概念ブレンディングと称される認知プロセスは、2つ（もしくはそれ以上）の概念を前提とした上で、それらを部分的に混ぜ合わせていくことによって、創発性のある新規の概念を作り出す認知プロセスとして、比較的よく知られている。その基本構造を概略的に説明すれば、2つ（もしくはそれ以上）の概念のことはそれぞれ一般にインプット（Input）と呼ばれ、複数の喚起が行われる場合は、インプット1、インプット2、... などのように区分されることになる。その上で、各々のインプットから部分的な情報を抽出して、ブレンド（Blend）と呼ばれる心的空間に、その情報を持っていくことによって、複数の概念を混ぜ合わせて、創発性のある新規の概念を作り出すのが、概念ブレンディングと呼ばれる認知プロセスである（(13) 参照）。

　(13) インプット1　＋　インプット2　⇒　ブレンド

なかでも、ここでは、特に創発性（emergent properties）という側面が重要なものであり、これは前提となる2つの（もしくはそれ以上）のインプット単独では醸し出すことのできない概念を構造化するということであり、まさに「なぞなぞ」そのものはきわめて謎めいた概念であると理解されうるものであるので、「なぞなぞ」の構造それ自体が、ここで言うところでの「ブレンドにおける創発性」に非常によく適合してくるものと考えられ

る。

　抽象的な議論を続けても、あまり意味がないので、概念ブレンディング理論を用いて、具体的な「なぞなぞ」を１つ、ここで分析してみることにしたい。ここでは、（14）として再掲する下記の（7）のメタファーなぞなぞについて、その概念構造を分析してみることにしたい。

　（14）実が鈴のようになる果物って、なあに？
　　　　［答え］柿

　この場合に、インプットとして喚起される概念は、下記の（15）に示したように、２つのものがある。１つは、「柿」の記号構造がインプット１に収められ、もう１つは、「鈴」の記号構造がインプット２として構築される。

　（15）メタファーなぞなぞの概念構造―１―：
　　　　インプット１：（/kaki/―「柿」）
　　　　インプット２：（/suzu/―「鈴」）

なお、上記の（15）では、便宜的に、斜線（//）で括られたローマ字（/kaki/ および /suzu/）はメタ言語知識として、カギ括弧（「」）で括られた漢字表記（「柿」および「鈴」）は対象言語知識として、以下での議論を進めていくことに注意されたい。

　このような形で、（15）に示すように、２つのインプットが喚起されると、その次の段階では、インプット１内の「柿」とインプット２内の「鈴」が、意味的類似性に基づくリンク（つまりメタファー構造）を構築していくことになる。したがって、このリンクを設定すると、（15）は（16）のように表記し直され、「柿」と「鈴」の間に傍線（|）が追加される形となる。もちろん、この傍線は、より正確に理解していけば、「柿の実がたわわに実っている様子」と「鈴のイメージ」がダブって認識されている感じを表現していると、一般には考えることができる。

　(16)　メタファーなぞなぞの概念構造―2―：
　　　　インプット1：(/kaki/―「柿」)
　　　　　　　　　　　　｜
　　　　インプット2：(/suzu/―「鈴」)

　このような形で、インプットの喚起とメタファー・リンクの設定がなされると、その次の段階では、ブレンドの構築が始まっていくことになる。この場合には、インプット1からは「実」や「果物」といった一部の情報が、そしてインプット2からは「鈴のイメージ」という部分的な情報が、ブレンドに持ち込まれることにより、ブレンド内には、それらを混ぜ合わせた「実が鈴のようになる果物」といった概念が、最終的に構造化されていく。

　(17)　メタファーなぞなぞの概念構造―3―：
　　　　インプット1：(/kaki/―「柿」)
　　　　　　　　　　　　｜
　　　　インプット2：(/suzu/―「鈴」)
　　　⇒　ブレンド：「実が鈴のようになる果物」

　そうすると、ここで気づいてほしいことは、インプット1の「柿」も、インプット2の「鈴」も言語的な感覚としては何も謎めいた雰囲気はないのではあるが、これに対して、ブレンド内の「実が鈴のようになる果物」という概念に関しては、直観的に見ても、きわめて謎めき度の高い表現となっていることである。このような形で、ブレンド内で謎めいた表現が構築されてきているところに、まさに、概念ブレンディング理論で言うところの創発性が顕著に表出されてきているのである。したがって、概念ブレンディング理論が「なぞなぞ」の概念構造を把握する認知モデルとして適していると考えられるのは、まさにこの点にあると言っても過言ではないのである。

5.「なぞなぞ」概念のスペース機能

　(17) に提示したメタファーなぞなぞの概念構造について、もう少しよく検討していけば、1つの興味深い事実が新たに見えてくる。概念ブレンディング理論でいうところのインプットやブレンドという概念は、より正確には心的に構築される認知的対象のことを意味しており、これら全般は、一般にメンタル・スペース (mental space: cf. Fauconnier 1994, 1997; Fauconnier & Turner 2002, 2006) と呼ばれている。したがって、(17) の図式化では、簡略表記を用いたため、スペース感があまり感じられないかもしれないが、インプット1つ1つが、そしてブレンドもそれ単独で、1つのメンタル・スペースを構成しているという点に、ここでは注意する必要がある。

　そういう理解の下で、(17) に提示したメタファーなぞなぞの概念構造を再度よく観察していくと、ブレンドに提示されているのは「なぞなぞ」の問い概念であり、これに対して、インプット1に喚起されているのは「なぞなぞ」の答え概念であることが、おのずと理解できてくるようになるはずである。そうなると、1つの一般化としては、このような「なぞなぞ」の場合には、ブレンドとインプット1については、スペース機能 (space function) という副次的認識が伴ってきているものと、ここでは一般に理解されなければならない。すなわち、ブレンドはこの「なぞなぞ」の問い概念であるので、問いスペース (Question Space (QS)) としての機能を、これに対して、インプット1はこの「なぞなぞ」の答え概念であるので、答えスペース (Answer Space (AS)) としての機能を、ここでは果たしていると言えるのである。したがって、このようなスペース機能を追加して、(17) の概念構造を書き改めれば、それは (18) のような概念化として再解釈されることになる。つまり、(14) のメタファーなぞなぞの概念構造の分析としては、最終的には、(18) のようにまとめられることになるのである。

(18) メタファーなぞなぞの概念構造―4―：

インプット1：(/kaki/―「柿」)【AS】

|

インプット2：(/suzu/―「鈴」)

⇒　ブレンド：「実が鈴のようになる果物」【QS】

6.「なぞなぞ」の作成と解答と理解

　以上のような形で、「なぞなぞ」の概念構造を分析してくれば、(19) に挙げる3つの問いには、どのような答えを与えていくことができるのであろうか。次に、この点について、(18) に示したメタファーなぞなぞの概念構造に基づいて、簡単に議論しておきたい。

(19)　a．「なぞなぞ」の出題者 (riddler) は、どのようにして「なぞなぞ」の問い (riddle question) を作り出していくのか？

　　　b．「なぞなぞ」の解答者 (riddlee) は、どのようにして「なぞなぞ」の答え (riddle answer) を見つけ出していくのか？

　　　c．「なぞなぞ」の全体的な理解というものは、どのようにしてなされるのか？

　まず、(19a) については、「なぞなぞ」の作り方をどのように理解するかという問題であるので、それは、(18) の場合には、答えスペースであるインプット1から、問いスペースであるフレンドをどのようにして構築していくかという問題として、再解釈できるように思われる。つまり、答えスペースから問いスペースを構築していく認知プロセスそのものが、「なぞなぞ」の作成プロセスには関与しているものと推定されうる。

　次に、(19b) に関しては、「なぞなぞ」の解き方をどのように理解するかという問題であるので、それは、(18) の場合であれば、問いスペースのブレンドをヒントとして、答えスペースであるインプット1にどのようにしてたどり着くのかを思考すればよいことになる。したがって、「なぞなぞ」の解答プロセスとは、問いスペースから答えスペースを構築してい

く認知プロセスとして、一般には定義していくことができそうである。

　そして、最後の（19ｃ）であるが、これは「なぞなぞ」の問いと答えの両方が提示された際に、その「なぞなぞ」全体を論理的にどのように理解していけばよいのかという問題であると言えるので、(18) の場合で言えば、その問いと答えをベースにして、(18) 全体の概念構造が把握できるようになることが、まさに「なぞなぞ」の理解プロセスであると言うことが可能である。

7.「なぞなぞ」の実例分析

　ここまでは、筆者による簡単な作例によって、「なぞなぞ」の概念構造の基本的な考え方について、自説を述べてきた。それでは、上記のような説明法を採用することで、実例としての「なぞなぞ」をそれなりに説明していくことができるのかという点を明らかにする目的で、筆者の作例ではない、実物の「なぞなぞ」に対して、上記の分析を適用してみることにしてみたい。

　「なぞなぞ」と一口に言っても、それには多種多様なものがあるので、それをここですべて具体的に分析していくことは、いずれにしても、難しいものと考えられる。そこで、ここでは、第３節で提示した「メタファーなぞなぞ」「パンタファーなぞなぞ」「キャラファーなぞなぞ」という３タイプの「なぞなぞ」実例を１題ずつ取り上げて、上記の分析法に基づきながら、以下では、その概念構造の解明を試みてみたいと考えている。

7.1. メタファーなぞなぞ

　まずは、メタファーなぞなぞとして分類することのできる（20）の事例について、検討してみることにしよう。

　(20)　トイレで毎日引っぱられてやせていくものってなあに？
　　　　［答え］トイレットペーパー
　　　　　　　（ながれおとや『なぞなぞだいすき！あそびがいっぱい2000問！』
　　　　　　　　　　　　　　　　　　　　　　日本文芸社 2013年 p. 278）

　この場合に必要となってくるインプットには、少なくとも２つのものがある。１つは、答えとなっている「トイレットペーパー」の記号構造が、頭の中に喚起されなければならない。便宜的に、このインプットのことを、ここではインプット１と呼んでおきたい。そうすると、このインプット１からは、「トイレで毎日引っぱられて」「いくもの」という対象言語情報を引き出すことが可能となってくる。

　これに対して、もう１つのインプットには、「人間」に関わる記号構造が想起され、それはここでは便宜的にインプット２として認識されることになる。そうすると、インプット１の情報内には、「トイレットペーパーが使用されるにつれて、トイレットペーパーが減っていく様子」も喚起されていると推定されうるので、まさにその部分に、「やせていく」という部分が対応してくるものと考えられる。つまり、「やせていく」というのは、つまりは、人間的な述べ方であることを踏まえると、ここでは、インプット１の「トイレットペーパーの使用の様子」がインプット２の「人間がやせていく」という観点から理解されているものと考えることが可能となってくるのである。これは、要するに、インプット１の「トイレットペーパー」をインプット２の「人間」の観点から喩えるというメタファーが、ここでは成立してきているとも、理解することができるはずである。

　したがって、このような考察を踏まえれば、インプット１からは「トイレで毎日引っぱられて」「いくもの」という対象言語情報が、そしてインプット２からは「やせていく」という対象言語情報が、それぞれ、ブレンドへと持ち込まれることにより、この「なぞなぞ」の問いである謎めいた概念、すなわち「トイレで毎日引っぱられてやせていくもの」という概念が構築されることになるのである。

　そうすると、以上の認知プロセスは、下記の（21）のように、一般に整理することが可能となる。

（21）メタファーなぞなぞの概念構造（（20）の概念構造）：

インプット１：（トイレットペーパー：トイレで毎日引っぱられ
ていくもの／<u>トイレットペーパーが減っていく様子</u>）【AS】

|

インプット２：（人間：<u>やせていく</u>）

⇒ブレンド（トイレで毎日引っぱられてやせていくもの）【QS】

したがって、この「なぞなぞ」の概念構造においては、ブレンドが問いスペース（QS）としての機能を、インプット１が答えスペース（AS）としての機能を果たしていることが、上記の整理からも、明確に理解できるようになっている。

7.2. パンタファーなぞなぞ

次に、パンタファーなぞなぞの実例として、下記の（22）の「なぞなぞ」について、分析してみることにしたい。

（22）いつまでたってもかんせいしないくだものってなあに？
［答え］みかん

（ながれおとや『なぞなぞだいすき！あそびがいっぱい2000問！』
日本文芸社 2013 年 p. 265）

この「なぞなぞ」の概念構造を理解する上でも、２つのインプットが必要となってくる。１つは、この「なぞなぞ」の答えとなっている「みかん」の記号構造であり、ここでは、これをインプット１と称しておくことにしたい。そして、もう１つは、「未完」という記号構造が喚起され、それがここではインプット２に格納されるものと理解しておきたい。

そうすると、おのずと理解できてくるように、インプット１とインプット２の間には、/mikan/ という音声レベルでの類似性が認識されるようになり、つまりは、この間にパンタファーの構造化がなされることになるのである。

　このような形でパンタファーの構造化が整うと、その次の段階では、ブレンドの構築が始まり、ここでは、インプット１からは「くだもの」という対象言語情報が、そしてインプット２からは「いつまでたってもかんせいしない」という対象言語情報が、ブレンドへと持ち込まれることによって、結果として「いつまでたってもかんせいしないくだもの」という謎めいた概念が創発されてくることになる。

　したがって、このような認知プロセスの全体像を簡略化して示せば、それは下記の（23）のようになる。

（23）パンタファーなぞなぞの概念構造（（22）の概念構造）：
　　　インプット１：（みかん：くだもの）【AS】
　　　　　　　　　　　　　｜
　　　インプット２：（未完：いつまでたってもかんせいしない）
　　　　⇒ブレンド（いつまでたってもかんせいしないくだもの）【QS】

ここでも、（23）の概念構造においては、ブレンドが問いスペース（QS）としての機能を、インプット１が答えスペース（AS）としての機能を果たしていることが、明確に確認されうると言える。

7.3. キャラファーなぞなぞ

　そして最後に、キャラファーなぞなぞの実例分析を試みてみたいと思う。ここでは、下記の（24）の「なぞなぞ」を用いて、その概念構造を明らかにしてみたいと考える。

（24）イスが入っているチーズってなあに？
　　　［答え］スライスチーズ
　　　　　　（ながれおとや『なぞなぞだいすき！あそびがいっぱい2000問！』
　　　　　　　　　　　　　　　　　　　　　　　日本文芸社 2013 年 p. 68）

この場合に必要となってくるインプットも、実のところ、２つのものが

ある。1つは、この「なぞなぞ」の答えとして認識されている「スライスチーズ」が、その記号構造を喚起させて、それがインプット1として構造化されることになる。これに対して、もう1つのインプットとしては、「イス」の記号構造が頭の中に想起され、それがインプット2として認識されるようになる。

このような形で2つのインプットの喚起が行われると、インプット1とインプット2の文字列を見比べると、大変興味深いことに、どちらの文字列にも「イ」と「ス」という文字が含まれていることに気づかされる。そうなると、まさにこの認識が、ここでいうところの文字レベルの類似性認識、すなわちキャラファーに対応してくることになるのである。したがって、インプット1の「イス」とインプット2の「イス」の間には、キャラファーとしてのリンクが、ここでは設定されることとなる。

そして、その次の段階では、ブレンドの構築が始まっていくことになるのであるが、まずは、この場合には、インプット1からは「チーズ」という対象言語情報が、これに対して、インプット2からは「イス」という対象言語情報が、ブレンドへと持ち込まれているものと、一般には想像されてしまうかもしれない。しかしながら、(24)の「なぞなぞ」の問いには、「入っている」という概念が登場してきているので、これがどのようにしてブレンド内に構造化されてくるのかを、ここでは吟味していく必要がある。つまり、別の言い方をすれば、どこから「入っている」といったような概念は出てきたのかという点を、ここではきちんと整理しておくべきであると言えるのである。

その答えとしては、キャラファーとしてのリンク設定が、ここでの解決のヒントを与えてくれている。つまり、インプット1の「スライスチーズ」とインプット2の「イス」を見比べた際には、「イス」という文字の部分で共通性が見られるので、その両者において、「イス」という部分がいくぶん際立って見えてくるものと考えることができるはずである。要するに、より認知言語学的な言い方をすれば、下記の(25)に示すように、インプット1とインプット2の比較を行うと、「イス」の部分だけを強調するプロファイル（profile：(25)では太字表記）が、そこには与えられることにな

るのである（なお、プロファイルの基本的な考え方については、Langacker (1987, 1990, 2008, 2013) などを参照のこと）。

(25) インプット1（スラ**イス**チーズ）―インプット2（**イス**）

　そうなると、キャラファーを適用した後の段階においては、インプット1の概念構造としては、単なる「スライスチーズ」という文字列だけがあるのではなくて、「イス」の部分がプロファイルされた「スラ**イス**チーズ」という概念構造が、インプット1内には構造化されてきているものと、ここでは理解されなければならない。したがって、このような概念化が施されていることが認識できれば、「イスが入っている」という情報は、インプット1のプロファイルの概念化（すなわちメタ言語情報）と、インプット2の「イス」というメタ言語情報が混ぜ合わされることで、「イスが入っている」という情報がブレンド内に仕上がってきていることが率直に理解できるようになる。つまり、この段階においてはじめて分かることとしては、「イスが入っている」という情報はインプット1とインプット2のメタ言語情報をブレンドさせて出来上がるのに対して、「チーズ」という情報はインプット1の対象言語情報そのものからもたらされるものであるということである。

　したがって、以上の認知プロセスを図式的に示すとなると、それは下記の（26）のようにまとめることが可能である。

(26) キャラファーなぞなぞの概念構造（(24) の概念構造）：
　　　インプット1：（スラ**イス**チーズ）【AS】
　　　　　　　　／
　　　インプット2：（**イス**）
　　　　⇒ブレンド（イスが入っているチーズ）【QS】

なお、この場合にも、(26) の概念構造においては、ブレンドが問いスペース（QS）としての機能を、インプット1が答えスペース（AS）としての

機能を果たしている点を、ここではしっかりと確認しておきたいところである。

8. おわりに

　本論では、認知言語学の一般的な枠組みからヒントをもらいつつ、言語学分野が不得意としている「なぞなぞ」現象にアプローチしていくための１つの方法論について、いくつかの具体事例の分析を行いながら、その一端を明らかにすることを試みてきた。「なぞなぞ」という言語現象そのものが備えている概念構造を記述・分析することは、伝統的な言語学の枠組みにおいては、なかなか扱いにくい側面があり、その結果として、きわめて周辺的な言語現象としてしか認識されておらず、ひどい場合には、まともな言語現象としても認識してもらえないという状態にもなってしまっている。しかしながら、「なぞなぞ」現象も、言語現象の１つであるという点は、何ら変わるところがないものと考えられるので、このような現象にも、言語学分野は積極的なアプローチをしていく必要があることだけは確かなことである。その意味では、本論で議論してきたように、認知言語学の一般的な枠組みを援用していけば、「なぞなぞ」の概念構造にも十二分にアプローチしていくことのできる可能性があることは、１つの事実として、大変興味深い方向性であると、一般に理解することができる。

　とはいうものの、本論で紹介した「なぞなぞ」の分析は、「なぞなぞ」の全体像の観点から見れば、ごく少数のタイプのものにまだまだ限定されているので、今後は、その分析を様々なタイプの「なぞなぞ」に拡大していく必要があることは言うまでもないことである。いずれにしても、豊富で多種多様な「なぞなぞ」の具体的な実例を、本論で提示した認知モデルに晒していくことで、その認知モデルのさらなる妥当性を検証していくとともに、より精緻化された「なぞなぞ」の認知モデルを探求していくことが、今後は特に必要であると考えられる。

参考文献

Abrahams, Roger D., and Alan Dundes. (1972) "Riddles." In: Richard Dorson (ed.) *Folklore and Folklife: An Introduction*, pp. 129-43. Chicago: The University of Chicago Press.

江口一久［編］(1990)『ことば遊びの民族誌』東京：大修館書店.

Fauconnier, Gilles. (1994) *Mental Spaces (2nd Edition)*. Cambridge: Cambridge University Press.

Fauconnier, Gilles. (1997) *Mappings in Thought and Language*. Cambridge: Cambridge University Press.

Fauconnier, Gilles, and Mark Turner. (2002) *The Way We Think: Conceptual Blending and the Mind's Hidden Complexities*. New York: Basic Books.

Fauconnier, Gilles, and Mark Turner. (2006) "Mental Spaces: Conceptual Integration Networks." In: Dirk Geeraerts (ed.), *Cognitive Linguistics: Basic Readings*, pp. 303-371. Berlin/New York: Mouton de Gruyter.

Fillmore, Charles J. (1982) "Frame Semantics." In: The Linguistic Society of Korea (ed.), *Linguistics in the Morning Calm*, pp. 111-137. Seoul: Hanshin Publishing Co.

Fillmore, Charles J. (1985) "Frames and the Semantics of Understanding." *Quaderni di Semantica* 6(2): 222-254.

Kövecses, Zoltán. (2002) *Metaphor: A Practical Introduction*. Oxford: Oxford University Press.

Kövecses, Zoltán. (2005) *Metaphor in Culture: Universality and Variation*. Cambridge: Cambridge University Press.

Lakoff, George. (1987) *Women, Fire, and Dangerous Things: What Categories Reveal about the Mind*. Chicago: The University of Chicago Press.

Lakoff, George, and Mark Johnson. (1980) *Metaphors We Live By*. Chicago: The University of Chicago Press.

Lakoff, George, and Mark Johnson. (1999) *Philosophy in the Flesh: The Embodied Mind and its Challenge to Western Thought*. New York: Basic Books.

Langacker, Ronald W. (1987) *Foundations of Cognitive Grammar, Vol.1: Theoretical Prerequisites*. Stanford: Stanford University Press.

Langacker, Ronald W. (1990) *Concept, Image, and Symbol: The Cognitive Basis of*

Grammar. Berlin/New York: Mouton de Gruyter.

Langacker, Ronald W. (1993) "Reference-Point Constructions." *Cognitive Linguistics* 4(1): 1-38.

Langacker, Ronald W. (2008) *Cognitive Grammar: A Basic Introduction.* Oxford: Oxford University Press.

Langacker, Ronald W. (2013) *Essentials of Cognitive Grammar.* Oxford: Oxford University Press.

Littlemore, Jeannette. (2015) *Metonymy: Hidden Shortcuts in Language, Thought and Communication.* Cambridge: Cambridge University Press.

McDowell, John. (1979) *Children's Riddling.* Bloomington: University of Indiana Press.

Pepicello, William J., and Thomas A. Green. (1984) *The Language of Riddles: New Perspective.* Columbus, OH: Ohio State University Press.

Shultz, Thomas R. (1974) "Development of the Appreciation of Riddles." *Child Development* 45: 100-105.

杉本孝司 (2002)「なぞなぞの舞台裏 — その理解と認知能力 —」In: 大堀壽夫［編］『認知言語学Ⅱ：カテゴリー化（シリーズ言語科学第3巻）』pp.59-78. 東京：東京大学出版会.

高橋登 (2003)「子どもと言葉遊び」『月刊言語』32(2): 36-44.

山梨正明 (1988)『比喩と理解』東京：東京大学出版会.

山梨正明 (2007)『比喩と理解（新装版）』東京：東京大学出版会.

Yasuhara, Kazuya. (2004) "Riddles in Cognitive Linguistics: Exploring the Meaning Construction of Japanese Riddles." *Papers in Linguistic Science* 10: 55-97.

安原和也 (2007)「ことば遊びの創造性と概念ブレンディング」『追手門学院大学心理学部紀要』1: 259-287.

安原和也 (2014)「Similarity Factor と日本語の「地口なぞ」」『名城大学農学部学術報告』50: 11-18.

安原和也 (2018)「認知意味論（第6章）」In: 今井隆・斎藤伸治［編］『21世紀の言語学 — 言語研究の新たな飛躍へ —』pp. 199-236. 東京：ひつじ書房.

安原和也 (2020a)「音声リンクとしてのパンタファー」未発表論文.

安原和也 (2020b)「文字リンクとしてのキャラファー」未発表論文.

安原和也 (2021a)「和歌技法の認知言語学 — 掛詞と縁語を中心に —」本書所収論文.

安原和也 (2021b)「古典文学の認知プロセス」本書所収論文.

クロスワード・パズルの作成プロセス

1．はじめに

　認知言語学の研究領域においては、ことば遊び（language play）をその研究対象として一般に認識しようとする動きが、ごく少数ではあるものの、現実に存在してきているように思われる（cf. 杉本 2002; 安原 2007, 2018, 2020; etc.）。しかしながら、ことば遊びの中でも、特にクロスワード・パズル（crossword puzzle）に焦点を当てて、その認知プロセスについて議論してみようとするような論考は、筆者の知る限り、おそらく皆無であろうと、一般に推定される。そこで、本論では、その研究テーマとして、クロスワード・パズルに焦点を当てて、その作成プロセスの一端について、認知言語学の枠組みに基づきつつ、簡単に考察を加えてみたいと考えている。

2．クロスワード・パズルの具体事例

　本論で議論するクロスワード・パズルの具体事例としては、下記の（1）のものをベースとして、その考察を試みてみたいと思う。

（1）クロスワードの具体事例：
　　　●たてのもんだい●
　　　　1．羽が4つで、クルクルめがねをかけた虫は？
　　　　2．カレーの国といえば？
　　　●よこのもんだい●
　　　　1．人がおおぜいいる町。東京みたいなところ。
　　　　2．図工などでつかう、白いせっちゃくざい。
　　　　　　　　（ながれおとや『なぞなぞだいすき！あそびがいっぱい2000問！』
　　　　　　　　　　　　　　　　　　　　日本文芸社 2013年 p. 72［一部改変］）

　これは、幼児向けの「なぞなぞ集」に掲載れていた比較的簡単なクロスワード・パズルであると言えるが、このことば遊びの背景に隠されている認知プロセスを把握していく目的では、このような単純なものでも、十分に考察可能であると考えられる。なお、クロスワード・パズルの専門的な呼び方では、ここで「たてのもんだい」とされているのは「タテのカギ（DOWN）」、また、ここで「よこのもんだい」とされていのは「ヨコのカギ（ACROSS）」と呼ばれる方が、より一般的であるという点を、ここで付け加えておきたい。

　（1）では、いわゆるクイズが4題提示されているだけであるので、まずは、各々の問題に対するその答えを、ここで提示しておくと、下記の（2）のようになる。

　　（2）問題の答え：
　　　　●たてのもんだい●
　　　　1．トンボ
　　　　2．インド
　　　　●よこのもんだい●
　　　　1．トカイ
　　　　2．ボンド

（2）の答えを見れば分かるように、クロスワード・パズルの答えでは、1つ1つの文字が仮名書きで表記され（この場合、平仮名でも片仮名でも、どちらでもよい）、文字数というヒントが提示されうるのも、このことば遊びの重要な特徴であると言える。したがって、クロスワード・パズルを解いていく際には、この文字数というヒントも活用しながら、そのパズルを解いていくことができるということでもある。

　以下では、上記のクロスワード・パズルを作成するという観点から、このようなクロスワード・パズルの背景に隠されている認知プロセスの一端を明らかにしてみたいと考えている。

3．パズルの構築

　クロスワード・パズルを作成すると言っても、それには作成者によって様々な方法があるものと考えられるが、ここでは、そのような際にその背景で機能していると考えられる重要な認知プロセスを解明することを目的とするので、以下で紹介するクロスワード・パズルの作成プロセスは、唯一の方法ではないという点を、まずはじめに断わっておきたい。つまり、本論で目的とするのは、あくまで、クロスワード・パズルを構築していく際に、その背景で機能してくる認知プロセスを明らかにすることにあるのであって、その実際の手順については、作成者によってある程度の差異が生じてくるのは、当然のこととして、その議論を進めていく点に、特に注意されたい。

　まず、クロスワード・パズルそのものを構築していく際には、概念ブレンディング理論（conceptual blending theory: cf. Fauconnier & Turner 2002, 2006; Coulson 2001）が重要な役割を果たしているものと考えられる。周知のように、概念ブレンディングと呼ばれる認知プロセスは、最も簡単に言えば、2つのものを混ぜ合わせて、1つのものを作り出していくプロセスとして、一般に認識されている。したがって、下記の（3）に示すように、smoke と fog を混ぜあわて、smog ということばを構造化する際にも、概念ブレンディングの認知プロセスが、その背景で重要な役割を果たしていると言わなければならない。

　（3）smoke ＋ fog ⇒ smog

　この場合、より厳密な分析を与えれば、smoke と fog がそれぞれインプット1とインプット2として構造化された後に、それらを混ぜ合わせて smog というブレンドを構築しているものと、一般に理解していくことが可能である（（4）参照）。

　（4）インプット1（smoke）＋インプット2（fog）⇒ブレンド（smog）

　その際、インプット 1 からは「smo」という要素が、これに対して、イン
プット 2 からは「og」という要素が、ブレンドへと持ち込まれて、その結
果、「smog」という形態が創発されてきていると言える。ただし、ここで
注意を要するのは、「o」という要素に関しては、インプット 1 とインプッ
ト 2 との間で重複が見られ、両方のインプットからブレンドへの持ち込み
が行われているという点である。このような形で、各々のインプット間に
共通する要素がブレンド内へ持ち込まれていく認知操作は、特に概念圧縮
（compression）と呼ばれ、それは言わば「smo」と「og」の接着剤のような
働きをしているとも、理解することができるかもしれない。

　したがって、このような観点を加味して、（4）のブレンド操作を書き
直せば、「o」の字がダブっているわけであるので、その文字のプロファイ
ル（profile: cf. Langacker 1987, 1990, 2008, etc.）がより強くなるという意味
では、それは下記の（5）のように訂正していくことができるものと思わ
れる。つまり、太字表記された「o」の字が、ここでの概念圧縮を示しており、
それが接着剤としてプロファイルを高めていると、ここでは理解していく
ことができるのである。

　（5）インプット 1（smoke）＋インプット 2（fog）⇒ブレンド（sm**o**g）

　このような形でブレンド操作を考察してくると、クロスワード・パズル
における文字列の組み合わせ方に関しては、まさに概念ブレンディングの
認知プロセスが重要な働きを担っていることは、一目瞭然のものになるよ
うに思われる。すなわち、（2）の答えに観察される文字列としては、【たて】
のものとして「トンボ」と「インド」が、【よこ】のものとして「トカイ」
と「ボンド」が提示されているので、要するには、これら 4 つのことばを、
概念ブレンディングの認知プロセスを利用して、組み合わせればよいとい
うことである。

　ここでは、その理解を分かりやすくする目的で、1 つずつの組み合わせ
をあえて提示しておくと、それは次のようになる。ただし、言うまでもな
いことだが、組み合わせの順番に関しては、下記の通りである必要はまっ

たくないものと考えられる。

　まず、インプットの構築に関しては、下記の（6）のような構造になるものと推定される。

　（6）インプットの構築：
　　　　インプット1（【たて】の「トンボ」）
　　　　インプット2（【たて】の「インド」）
　　　　インプット3（【よこ】の「トカイ」）
　　　　インプット4（【よこ】の「ボンド」）

そうすると、まずは、インプット1（【たて】の「トンボ」）とインプット3（【よこ】の「トカイ」）をブレンドさせると、（7）のような構造化が完成することになる。

　（7）**ト**カイ
　　　　ン
　　　　ボ

この場合、「トンボ」の「ト」と「トカイ」の「ト」がダブっているわけであるので、ここに接着剤としてのプロファイルが付与されて、概念圧縮が施されるものと理解していくことができる。

　次に、（7）のクロスワードのパーツを、インプット4（【よこ】の「ボンド」）と組み合わせることを考えれば、今度は、「トンボ」の「ボ」と「ボンド」の「ボ」がダブっていることになるので、この部分がまさに概念圧縮されて、下記の（8）のような構造を作り出すこととなる。

　（8）**ト**カイ
　　　　ン
　　　　ボンド

　そして、最終段階においては、（8）のクロスワードのパーツを、インプット2（【たて】の「インド」）と組み合わせることになるので、この場合には、2つの接着点が必要となってくる。すなわち、1つは「トカイ」の「イ」と「インド」の「イ」、そしてもう1つが「ボンド」の「ド」と「インド」の「ド」が、ここでの接着点となるので、これらを概念圧縮すれば、（9）のような構造が仕上がってくることとなる。

（9）**トカイ**
　　　ン　ン
　　　ボンド

　したがって、もっと端的にその組み合わせを説明するとすれば、（6）に提示した4つのインプットをベースとした上で、それらに「ト」「ボ」「イ」「ド」という4つの概念圧縮を施すことによって、（9）の構造をブレンド内に仕上げていくことが、まさにここで言うところのパズルの構築に相当しているということである。このように考えていくと、パズルの構築に関しては、概念ブレンディングの認知プロセスがきわめて重要な働きを成していることが、よりよく観察されてくるはずである。

4. クイズの構築

　ここまでは、パズルの構築について考察を加えてきたが、それでは、クイズの構築については、認知言語学の観点からどのようなことが言えるのであろうか。次に、この点について、考えてみたいと思う。

　まず、（9）に提示したようなパズルを完成させることが、このことば遊びの基本であるとするならば、その次の段階においては、（6）に提示したインプットが答えとなるようなクイズを作成しなければならないこととなる。そうなると、そこで機能してくる認知プロセスとしては、フレームの喚起というものが、ここでは重要な働きを担ってくるものと考えられる。フレーム（frame: cf. Fillmore 1982, 1985）とは、端的に言えば、私たちが日常生活を送る中で頭の中に蓄積してきた一般知識のことを意味して

いるので、ここでは、フレームを喚起させて、その中を探索することにより、クイズの作成を行っていく必要があるように思われる。

　まずは、「たてのもんだい」から、考えてみよう。１番の問題は「トンボ」がその答えとなっているので、「トンボ」のフレームを頭の中に喚起させればよい。そうすると、そのフレームの中には、「羽が４枚あること」「眼がクルクルしていること」「虫の一種であること」などの知識が見つかってくることになるので、それらを組み合わせることで、「羽が４つで、クルクルめがねをかけた虫」という概念が構築できてくるようになる。ただし、「クルクルめがねをかけている」という部分は、メタファー的な表現法となっているので、「眼がクルクルしていること」という知識をメタファー的に表現したものと推定することができる。

　これに対して、２番の問題は、かなり率直な問題であり、つまり、「インド」という国がその答えとなっているので、ここでは「インド」のフレームが喚起されればよいことになる。そうすると、「インド」と言えば、まさに「カレーの国」であるというイメージを頭の中に想起できるようになるので、それがそのまま「カレーの国といえば？」という設問（またはクイズ）として構造化されることになっている。

　次に、「よこのもんだい」について、考察を加えてみたい。１番の問題では、その答えが「トカイ（都会）」ということであるので、ここでは「都会」のフレームが頭の中に喚起される必要がある。そうなると、「人がおおぜいいる町」で、またその代表例としては「東京」が挙げられるという知識がおのずと出てくることとなり、その結果、「人がおおぜいいる町。東京みたいなところ。」という設問が構築されることとなる。

　そして、２番の問題については、その答えが「ボンド」ということであるので、この場合には、「ボンド」のフレームが頭の中に喚起されることになるはずである。そうすると、「ボンド」のフレーム内を探っていくと、「図工などでつかうもの」「白色の接着剤」という知識が見つかってくることになるので、最終的には「図工などでつかう、白いせっちゃくざい」という設問が仕上がってくるものと想定されうる。

　したがって、このように考察してくると、クイズの構築という点に関し

ては、フレームを頭の中に喚起させて、その中を探索して、何らかの知識を導き出してくるという認知プロセスが、ここでは重要な働きを担っていることが分かってくるようになる。これは、認知言語学の枠組みの中で、別の捉え方をしていけば、まさに参照点能力（reference-point ability: cf. Langacker 1993）がここでは機能的に働いてきていることが見えてくるとも、一般には解釈していくことができそうである。参照点能力というのは、簡単に述べれば、何らかの参照点（reference point（R））を経由して、それと関連する何らかのターゲット（target（T））を特定していく認知プロセスとして、一般に定義することができるものである。したがって、上記のクイズ構築においては、特定のフレームが参照点として理解された上で、その中に存在している何らかの特定の知識にたどり着くことがターゲットになっているものとして、ここでは再解釈していくことができそうである。つまり、このような参照点能力を図式的に示しておくならば、それは下記の（10）のような認知プロセスが、その背景でここでは機能しているものとして、一般には理解されうる。

(10) クイズ構築と参照点能力（R＝参照点、T＝ターゲット）：
　　　 a．R（「トンボ」のフレーム）→T（「羽が4枚あること」「眼がクルクルしていること」「虫の一種であること」）
　　　 b．R（「インド」のフレーム）→T（「カレーの国」）
　　　 c．R（「トカイ（都会）」のフレーム）→T（「人がおおぜいいる町」「代表例は東京」）
　　　 d．R（「ボンド」のフレーム）→T（「図工などでつかうもの」「白色の接着剤」）

　したがって、このような形で、クイズの構築について検討を加えてみると、認知言語学的な観点からは、クロスワード・パズルにおけるクイズの構築には、フレームの喚起と参照点能力という2つの認知プロセスが、ここではきわめて重要な働きを成していることが、一般に把握できてくるようになる。

5. 文字数のヒントについて

　前節で見てきたように、クロスワード・パズルにおけるクイズの構築においては、フレームを喚起させて、参照点能力によって何らかの知識を探索していくわけであるので、そこでは一般に、対象言語レベルの知識がその探索対象となっていることが分かる。しかしながら、クロスワード・パズルにおいては、マス目がその答えのヒントとして利用できる形にもなっているので、それについても、ここで少し触れておきたいと考えている。

　一般に、言語の基本的な構造に関しては、認知言語学の研究領域においては、記号的文法観という考え方を採用している（cf. Langacker 1987, 1990, 2008, etc.）。この考え方の下では、形態素から、句や節や文、そして談話に至るまで、言語の基本構造は、そのすべてが音声と意味のペア構造（つまり記号構造）から成り立っているものとして理解されている。したがって、言語の構造がこのような形になっているということは、それに基づいて、言語知識というものも特定されうるはずのものであると考えることができる。

　そうなると、クロスワード・パズルにおけるクイズの作問においては、前節でも示したように、主としてそのペア構造における意味レベルの知識が活用されていることが見えてくるようになる。つまり、これは、別の言い方をすれば、クロスワード・パズルにおけるクイズの構築には、対象言語知識が活用されているということでもある。

　しかしながら、クロスワード・パズルにおいてヒントとなっている文字数に関しては、残念ながら、ペア構造における意味レベルの知識であるとは、到底理解することができないはずである。本論で議論したクロスワード・パズルの答えはすべて３文字であったわけであるが、その答えが３文字であるという知識は、一般には、対象言語知識としてではなく、メタ言語知識として理解されうるはずのものである。つまり、メタ言語知識とは、言語について述べるための知識として一般に定義されるので、それでは、このような知識はどこから出てくると言うことができるのであろうか。その答えとしては、先に提示した記号的文法観では、音声の領域の中には、文字の概念も二次的にではあるが含まれるという立場を採用しているの

で、そうなると、文字数といったメタ言語知識は、ペア構造における音声レベルの知識から出てきていることが、見えてくるようになる。

したがって、以上の考察に基づけば、クロスワード・パズルにおけるクイズ作成に関しては、ペア構造における意味レベルの知識（すなわち対象言語知識）が活用されているのに対して、クロスワード・パズルにおけるヒントに関しては、ペア構造における音声レベルの知識（すなわちメタ言語知識）が活用されているという点が、一般に明確となってくる。

6. おわりに

本論では、クロスワード・パズルと呼ばれることば遊び現象に焦点を当てて、その背景で機能していると考えられる認知プロセス（あるいは一般認知能力）について、特にクロスワード・パズルの作成という観点から、その一端を分析してきた。その結果、少なくとも以下の3点が明らかになったものと思われる。1点目は、クロスワード・パズルの構築に関しては、概念ブレンディングの認知プロセスがきわめて重要な働きを成しているという点である。2点目は、クロスワード・パズルにおけるクイズの構築には、フレームの喚起と参照点能力という2つの認知プロセスが、きわめて重要な役割を果たしているという点である。そして、3点目は、クロスワード・パズルにおけるクイズ作成に関しては、ペア構造における意味レベルの知識（すなわち対象言語知識）が活用されているのに対して、クロスワード・パズルにおけるヒントに関しては、ペア構造における音声レベルの知識（すなわちメタ言語知識）が活用されているという点である。

本論では、比較的単純な、あるいは最も単純なクロスワード・パズルを1つの具体事例として取り上げて、その議論を展開してきたので、本論をもって、クロスワード・パズルの認知プロセスの全貌が明らかになったとは、残念ながら、考えることはできない。したがって、今後の研究では、より複雑なクロスワード・パズルを1つずつ丹念に分析していくことで、その背景に存在している認知プロセスの実態をより正確に把握していく必要があることは、言うまでもないことである。

参考文献

Coulson, Seana. (2001) *Semantic Leaps: Frame-Shifting and Conceptual Blending in Meaning Construction.* Cambridge: Cambridge University Press.

Fauconnier, Gilles, and Mark Turner. (2002) *The Way We Think: Conceptual Blending and the Mind's Hidden Complexities.* New York: Basic Books.

Fauconnier, Gilles, and Mark Turner. (2006) "Mental Spaces: Conceptual Integration Networks." In: Dirk Geeraerts (ed.), *Cognitive Linguistics: Basic Readings*, pp. 303-371. Berlin/New York: Mouton de Gruyter.

Fillmore, Charles J. (1982) "Frame Semantics." In: The Linguistic Society of Korea (ed.), *Linguistics in the Morning Calm*, pp. 111-137. Seoul: Hanshin Publishing Co.

Fillmore, Charles J. (1985) "Frames and the Semantics of Understanding." *Quaderni di Semantica* 6(2): 222-254.

Langacker, Ronald W. (1987) *Foundations of Cognitive Grammar, Vol.1: Theoretical Prerequisites.* Stanford: Stanford University Press.

Langacker, Ronald W. (1990) *Concept, Image, and Symbol: The Cognitive Basis of Grammar.* Berlin/New York: Mouton de Gruyter.

Langacker, Ronald W. (1993) "Reference-Point Constructions." *Cognitive Linguistics* 4(1): 1-38.

Langacker, Ronald W. (2008) *Cognitive Grammar: A Basic Introduction.* Oxford: Oxford University Press.

杉本孝司 (2002)「なぞなぞの舞台裏 ― その理解と認知能力 ―」In: 大堀壽夫［編］『認知言語学Ⅱ：カテゴリー化（シリーズ言語科学第3巻)』pp.59-78. 東京：東京大学出版会.

安原和也 (2007)「ことば遊びの創造性と概念ブレンディング」『追手門学院大学心理学部紀要』1: 259-287.

安原和也 (2018)「英語のことば遊びと一般認知能力 ― 認知言語学からのアプローチ ―」『英語英文学論集』46: 181-205.

安原和也 (2020)『認知言語学の諸相』東京：英宝社.

フレーム・シフティングの認知プロセス

1．はじめに

　フレーム・シフティング（frame shifting）と呼ばれる認知プロセスは、認知言語学の研究領域では、あまり馴染みがないものと考えられるが、ジョークや「なぞなぞ」などのことば遊び現象においては、その面白さを創出するのに、きわめて重要な役割を果たしている。この認知プロセスそのものは、Coulson (2001) においてはじめて提案されたものであるが、要するには、言語理解の土台となるフレームが切り替わっていく認知プロセスのことを、ここではフレーム・シフティングと呼んでいるのである（なお、フレームという概念については、Fillmore (1982, 1985) などを参照されたい）。

　本論では、このようなフレーム・シフティングの認知プロセスがいかなるものであるのかを、英語の具体的なジョーク事例を取り上げながら、その認知プロセスの実像に迫ってみたいと考えている。そして、それを行う中で、フレーム・シフティングの認知プロセスにも、いくつかのタイプが存在しているという可能性を示唆してみたいと考えている。

2．英語のジョーク分析

　英語のジョーク集は、日本国内外を問わず、幅広く出版されているものと考えられるが、まことに残念なことに、ジョークの言語学的研究というものは、実際のところ、そこまで活発な議論がなされているわけではない。しかしながら、東森 (2011) においては、ジョークを関連性理論（relevance theory: cf. Sperber & Wilson 1986, 1995; 今井 2001; 東森・吉村 2003; etc.）の観点から分析した貴重な研究が紹介されているが、その中に掲載されてい

るジョークの中には、認知言語学的に考察しても、たいへん興味深いもの
が多数含まれているのも事実である。そこで、本節では、その中から、フレー
ム・シフティングの認知プロセスが関与している英語のジョークをいくつ
か紹介することで、この認知プロセスの概要を紹介してみたいと思う。

　まず、（1）のジョークを検討してみてもらいたい。

（1）　A：What is above an associate professor?
　　　　B：His hat.　　　　　　　　　　　　　（東森 2011: 183 ［一部改変]）

このジョークにおけるAの発話を直訳すれば、「准教授の上には何がある
のか」という質問として理解されるので、通常は、このような文脈がもた
らされれば、大学における職位に関わることが問われているのだろうと推
測されるはずである。つまり、助教 → 准教授 → 教授という順番で、その
職位が上がっていくわけであるので、その答えとしては、「教授」という
のが、一見正しいように思われる。しかしながら、ここでは、Bの発話
を見ればすぐに分かるように、「a professor」といった答えが返ってきてい
ない点に、ここでは注意されなければならない。つまり、ここでは「His
hat」という答えが返ってきているので、ある特定の准教授を想定して、そ
の人物の上方向に観察できるものは何なのかという議論に、ここでは完
全にすり替えられてしまっている。だからこそ、Bの答えとして、「帽子」
というものが、ここで取り上げられることになっているのである。したがっ
て、（1）がここでジョークとして成立しているのは、「a professor」といっ
た答えが返ってくることを期待していたのに、その当てが外れて、「His
hat」という答えが返ってきたところに、このジョークの面白みが創出して
いると言えるのである。

　まさに、このようなジョークの面白みが出てくるのは、ここで言うとこ
ろのフレーム・シフティングの認知プロセスが大いに活躍しているからで
あると、認知言語学的な観点からは理解していくことができる。すなわち、
Aの発話を聞いて、まずは「大学の職位」に関わるフレームが頭の中に喚
起されてくるのであるが、Bの発話を耳にすると、そうではなく、「人」

に関わるフレーム喚起に、その意味解釈が強制されてくるところに、まさにここで言うところのフレーム・シフティングの働きを垣間見ることができる。したがって、（1）のジョークにおいては、（2）に示したようなフレーム・シフティングがその背景で生じているからこそ、そこにはジョークとしての面白さが創発してきているものと考えられる。

　（2）「大学の職位」フレーム　→　「人」フレーム

　同様の例としては、（3）のジョークも、きわめて興味深いものである。

　（3）　A：What has a head and tail, but no body?
　　　　 B：A coin.　　　　　　　　　　　　（東森 2011: 200［一部改変］）

この場合には、まずはAの発話として、「頭と尻尾はあるが、体がないものは何か」という問いが、ここでは投げかけられることになっている。そうすると、「頭と尻尾はある」という部分までは、動物としてのイメージが頭の中におそらく想起されてくるように思われるので、ここでは「動物」のフレームが喚起されてくるはずである。しかしながら、「頭と尻尾はある」ものの、「体がない」という部分に進んでいくと、「動物」のフレームで解釈していくことに、残念ながら、破綻が生じてくることになってしまう。そこで、別の解釈は何かないかと考えていくと、「コイン」の表と裏のことは、英語では「head」と「tail」と呼ばれることが頭の中に浮かんでくることによって、ここでは、そのフレームを、（4）に示したように、「動物」フレームから「コイン」フレームに切り替えることを、余儀なくされることとなる。

　（4）「動物」フレーム　→　「コイン」フレーム

したがって、（4）のような形でその解釈を切り替えていくと、Bの発話にある「A coin」という返答とも辻褄が合ってくることになり、ここでの

ジョーク解釈はうまく成り立ってくると言うことができる。つまり、（3）のジョークを理解する上でも、その背景で、フレーム・シフティングの認知プロセスが重要な働きを垣間見せているのである。

　ここまでは、フレーム・シフティングの認知プロセスと言っても、対象言語（object language）を中心とした具体事例を提示してきたが、フレーム・シフティングの認知プロセスは、メタ言語的なレベルでも、十二分な機能を発揮してくれる。その一例としては、まずは、（5）のジョークを指摘することができる。

（5）　A : What is the capital of America?
　　　 B : The letter A.　　　　　　　　　（東森 2011: 189 ［一部改変］）

この場合、Aの発話においては、「アメリカの首都は何か（すなわち、どこか）」という問いが発せられているように、一見すると、思ってしまうところである。つまり、その場合には、「地理」のフレームを頭の中に喚起させて、「ワシントンD . C .」という答えが返ってくることを、ここでは期待してしまうのである。しかしながら、実際に返ってくる答えとしては、「The letter A」であると言えるので、ここでも、またフレーム・シフティングの認知プロセスが機能してきていると考えることができる。すなわち、「capital」という英単語には「首都」だけでなく、「大文字」という意味合いも持ち合わせているがために、「America」という語彙をベースとして、大文字になっている要素を探し出して、「Aという文字」という答えを、ここでは返してきているのである。したがって、この場合のフレーム・シフティングとしては、（6）に示すように、「地理」フレームから「文字」フレームへと、その切り替えが行われるところに、まさにこのジョークの面白さの源泉を突き止めることができそうである。

（6）「地理」フレーム　→　「文字」フレーム

　なお、（5）のジョークにおいて、「America」という語彙から、「A」と

いう大文字を取り出していく際には、文字レベルにおいて、ベースとプロファイルの概念化（cf. Langacker 1987, 1990, 2008, etc.）が適用されている点にも、ここでは注目する必要がある。つまり、ここでは、（7）に示したように、「America」という語彙列をベースとして認識した上で、その先頭にある大文字の「A」にプロファイル（あるいは焦点（（7）では太字で表記））を付与することによって、実のところ、「A」という大文字が取り出されているのである。

（7）America　→　**A**merica

このように、「文字」フレームへと、そのフレームが切り替えられている点においては、（5）のジョークは、メタ言語（meta-language）が部分的に関与したジョークであると、一般には理解することができる。これに対して、下記の（8）のジョークは、完全にメタ言語レベルで、フレーム・シフティングの認知プロセスが行われている貴重な事例であると言わなければならない。

（8）　A：How many letters are there in alphabet?
　　　　B：Eight letters.　　　　　　　　　（東森 2011: 204 ［一部改変］）

この場合には、「アルファベットは何文字あるのか」という問いが発せられているので、「アルファベット」フレームを頭の中に喚起して、「26 文字（twenty-six letters）」という答えが返されることを、おのずと期待してしまうところである。しかしながら、この場合にBから返ってきた答えは、なんと「Eight letters（8 文字）」という有り様である。つまり、この場合には、「alphabet」という語彙それ自体が何文字で構成されているのかという問いに、いつの間にやら切り替えられており、その結果として、「Eight letters（8文字）」という答えが、ここでは成立するに至っている。したがって、このような場合には、（9）に示されるように、最初に喚起された「アルファベット」フレームから、それとは別種の捉え方をする「文字数」フレーム

へと、そのフレームが切り替えられていくところに、ここで言うところの
フレーム・シフティングの認知プロセスが機能してきているものと考えら
れる。

（9）「アルファベット」フレーム　→　「文字数」フレーム

3．フレーム・シフティングの下位分類

　前節では、英語のジョークに観察されるフレーム・シフティングの認知
プロセスを、全部で4例、考察してきたと言えるが、そのフレーム・シフ
ティングの実際の姿をよくよく観察していくと、1つの興味深い事実が見
えてくるものと思われる。つまり、（1）と（3）のジョークにおいては、
対象言語レベルのフレームから、対象言語レベルのフレームへと、対象言
語間同士でそのフレームが切り替えられているのに対して、（8）のジョー
クにおいては、メタ言語レベルのフレームから、メタ言語レベルのフレー
ムへと、メタ言語間同士でそのフレームが切り替えられているのである。
そして、3番目の事例として提示した（5）のジョークにおいては、たい
へん興味深いことに、対象言語レベルのフレームから、メタ言語レベルの
フレームへと、そのフレームが切り替えられているのである。

　そうなると、これら4つのジョーク事例からは、下記の（10）に整理し
たように、少なくとも3タイプのフレーム・シフティングを、ここでは一
般に区分していく方向性が見えてくるように思われる。

（10）フレーム・シフティングの下位分類：
　　　a．対象言語レベルのフレーム　→　対象言語レベルのフレーム
　　　　（e.g.（1）と（3））
　　　b．対象言語レベルのフレーム　→　メタ言語レベルのフレーム
　　　　（e.g.（5））
　　　c．メタ言語レベルのフレーム　→　メタ言語レベルのフレーム
　　　　（e.g.（8））

　（10ａ）と（10ｃ）では、同じレベルのものの間でフレーム・シフティングが行われているので、このようなタイプは一般に同質フレーム・シフティング（homogeneous frame-shifting）と呼ぶことができるかもしれない。これに対して、（10ｂ）は、レベルの異なるものの間でフレーム・シフティングが行われているので、このようなタイプは異質フレーム・シフティング（heterogeneous frame-shifting）として、一般に理解できるかもしれない。

　そして、同質フレーム・シフティングには、（10ａ）のように対象言語間同士でフレーム・シフティングが行われるタイプと、（10ｃ）のようにメタ言語間同士でフレーム・シフティングが行われるタイプの２種類を、一般に特定していくことができそうであるので、これらにも、区分のために、とりあえず名称を与えておきたいと思う。つまり、前者のタイプは対象言語型フレーム・シフティング（OL-based frame-shifting）、これに対して、後者のタイプはメタ言語型フレーム・シフティング（ML-based frame-shifting）と、ここでは命名しておきたいと考える。

　したがって、以上の議論を踏まえて考えていくと、(10)に提示したフレーム・シフティングの下位分類は、下記の（11）のように再整理することができるようになる。

（11）フレーム・シフティングの下位分類（再整理）:
　　　Ａ．同質フレーム・シフティング
　　　　ａ．対象言語型フレーム・シフティング（e.g.（１）と（３））
　　　　ｂ．メタ言語型フレーム・シフティング（e.g.（８））
　　　Ｂ．異質フレーム・シフティング（e.g.（５））

つまり、フレーム・シフティングには、大きく分けて、同質フレーム・シフティングと異質フレーム・シフティングの２タイプがあることになり、くわえて、同質フレーム・シフティングには、対象言語型フレーム・シフティングとメタ言語型フレーム・シフティングの２タイプが、さらに下位区分されるということである。

4. おわりに

　本論では、ジョークの面白さを引き出す目的で、その背景でフレーム・シフティングと呼ばれる認知プロセスが機能してきている点を、英語の具体的なジョーク事例を分析しながら、議論してきた。その結果、丹念な事例観察を行っていけば、フレーム・シフティングと呼ばれる認知プロセスにも、いくつかのタイプ分けが可能となってくることも明らかになったと言える。

　認知言語学の研究領域では、フレームという概念については、広範に知られているところではあるが、フレーム・シフティングとなると、これまであまり積極的な議論は展開されてきていないように感じられる。その意味では、今後のフレーム研究に向けては、フレーム・シフティングの認知プロセスについても、積極的な探求が望まれるところである。

参考文献

Coulson, Seana. (2001) *Semantic Leaps: Frame-Shifting and Conceptual Blending in Meaning Construction.* Cambridge: Cambridge University Press.

Fillmore, Charles J. (1982) "Frame Semantics." In: The Linguistic Society of Korea (ed.), *Linguistics in the Morning Calm*, pp. 111-137. Seoul: Hanshin Publishing Co.

Fillmore, Charles J. (1985) "Frames and the Semantics of Understanding." *Quaderni di Semantica* 6(2): 222-254.

東森勲 (2011) 『英語ジョークの研究 — 関連性理論による分析 —』東京：開拓社.

東森勲・吉村あき子 (2003) 『関連性理論の新展開 — 認知とコミュニケーション —』東京：研究社.

今井邦彦 (2001) 『語用論への招待』東京：大修館書店.

Langacker, Ronald W. (1987) *Foundations of Cognitive Grammar, Vol.1: Theoretical Prerequisites.* Stanford: Stanford University Press.

Langacker, Ronald W. (1990) *Concept, Image, and Symbol: The Cognitive Basis of Grammar.* Berlin/New York: Mouton de Gruyter.

Langacker, Ronald W. (2008) *Cognitive Grammar: A Basic Introduction.* Oxford: Oxford University Press.

Sperber, Dan, and Deirdre Wilson. (1986) *Relevance: Communication and Cognition.* Oxford: Blackwell.

Sperber, Dan, and Deirdre Wilson. (1995) *Relevance: Communication and Cognition (Second Edition).* Oxford: Blackwell.

認知文字論への一試案

1. はじめに

　一般に、文字論（graphology）と呼ばれる研究領域は、言語の書記体系について取り扱う言語学の一分野として知られている。しかしながら、まことに残念なことに、言語の音声や意味の研究に比べると、文字論という研究領域は、言語学分野の中でも、きわめて周辺的な位置づけしか与えられておらず、その領域を探求しようとする言語学者の数も、かなり少数なのではないかと、一般に予測される。事実、言語学の入門書を開いたとしても、文字論について触れているものはほとんど皆無に等しく、また、文字論について執筆された学術文献と言われても、筆者が知る限りにおいても、ごく少数の文献しか、頭の中には浮かんでこない（cf. Coulmas 2002; 黒田 2013, 2015; 斎藤 2018; etc.）。

　そこで、本論では、このような言語学の状況を少しでも改善すべく、文字論という言語領域について、簡単ながらも、認知言語学の一般的な枠組みの中で、少しばかり考えてみたいと思いつき、本論の執筆に取りかかったというわけである。したがって、本論で述べていく事柄については、文字論についてまとまった見解を提示するといった類のものでもなければ、しっかりとした正統派の文字論ということにもならないものと、一般に想定されうる。したがって、むしろ、本論は、認知言語学の観点から構築できるかもしれないという展望性を持った文字論について、ただ単に考えられるべきことを書き綴ったに等しいものとなっているかもしれない。しかしながら、ここで、むしろ重要となってくるのは、文字論という研究領域にも、言語学分野は積極的に焦点を当てていくことで、そのような方向性の研究も今後は積極的に活性化していく必要があるという点を、本論では

伝えることができれば、それで十分であると理解している。なお、本論で提示するような方向性の文字論は、認知言語学的な考え方を積極的に援用していくという方法論を採用しているので、便宜的ではあるが、認知文字論（cognitive graphology）という呼称を、ここではタイトルに付けておいた次第である。

2. 日本語の文字体系

　認知言語学の一般的な研究領域の中でも、ラネカーの提唱する認知文法（cognitive grammar）の枠組みにおいては（cf. Langacker 1987, 1990, 1991, 2000a, 2008, 2009, 2013, etc.）、記号的文法観（the symbolic view of grammar）と呼ばれる考え方が積極的に提唱されている。これは、形態素から、句・節・文、そして談話に至るまで、言語の基本単位のすべては、音声と意味のペア構造（あるいは記号構造）で成り立っているとする考え方のことである。したがって、このような考え方の下では、文字という言語の側面はどのように捉えられるのかという点が、実質的な問題となってくる。認知文法におけるその答え（あるいは提案）としては、文字は音声言語を書き記すために用いられるものであると考えられるので、それは、音声との比較においては、二次的なものとして理解されると、一般に主張されている。つまり、ここで「二次的」であるということは、要するには、文字は音声の領域の中に組み込まれた構造になっていると、ここでは考えられているのである。

　確かに、世界の言語を見渡してみると、英語はアルファベット、中国語は漢字、ロシア語はキリル文字といった具合に、各言語の書記体系（ないしは表記法）というものは、1つの言語に対して、1つの書記体系（ないしは表記法）が存在しているという見方で捉えていくと、文字という現象は、言語学の研究対象から見れば、あまり興味深いものでもないのかもしれない。事実、認知文法の枠組みにおいても、言語における文字という側面は、先にも述べたように、二次的なものとしてしか扱われておらず、積極的な言語研究の対象にもなっていないように感じられるところもありそうである。

　しかしながら、日本語を書き記すために使用される文字について考えて

いくと、その状況はかなり一変することになる。つまり、何と言っても、その文字の多様性に驚かされてしまうのである。要するに、日本語には少なくとも４タイプの書記体系があり、それは、平仮名・片仮名・漢字・ローマ字と、多種多様な形態で書き記すことが可能となっている。例えば、下記の（１）は、英語でいうところの果物の「peach」を、その４タイプの書記体系で書き記したものであるが、どの表記法をとっても、それは立派な日本語として認められるはずである。

（１）日本語の文字体系：
  ａ．平仮名：［例］もも
  ｂ．片仮名：［例］モモ
  ｃ．漢字：［例］桃
  ｄ．ローマ字：［例］momo

　これを英語で表記するとなると、大文字で「PEACH」と書くか、あるいは小文字で「peach」と書くか、あるいは大文字と小文字を混ぜて「Peach」と書くかといった程度の多様性しか、望めないことになる。これは、（１）に示した日本語の書記体系と比べると、かなりの程度において貧弱であり、したがって、その影響を受けて、言語における文字について思考するとなると、二次的だという発想が出てきても、あまり不思議だとも思われなくなってしまう。

　つまり、ここで主張したいこととしては、特定の言語だけ、あるいは自らの熟知している言語だけで、言語論というものを考えていると、それにはやがて大きな破綻が見えてくる場合もありうるということである。認知文法の基本的な枠組みでは、先にも述べたように、音声と意味のペア構造が中心的な役割を果たすことになるが、上記のような日本語の文字体系を考慮に入れていくと、音声と文字と意味が一体化したトリプル構造（あるいはトリプル記号構造）を、言語の基本的な単位とした方が、より妥当であるという結論にもつながってくるのかもしれない。しかしながら、現段階では、この問題について、１つの結論を導き出していくことは、本論で

は少し難しいものと考えられるので、以上のようなことが存在することを、ここではただ単に指摘しておくことに留めたいと思う。

3. 文字のイメージ

　前節では、日本語の書記体系には、平仮名・片仮名・漢字・ローマ字の、少なくとも4タイプが存在する点を明らかにしたと言える。しかしながら、日本語の場合には、各々の書記体系には、少しばかりのイメージというものがつきまとっているようにも思われる。ただし、下記で述べることは、日本語の書記体系を考えるにあたって、絶対的な条件として存在するというよりは、むしろそんなような軽いイメージが伴っているという感覚として、ゆるやかに理解しておいてもらいたいと思う。

　まず、平仮名については、漢字で表記できる場合は漢字を優先して使うのが、日本語では自然であると考えられるので、そうでない場合というのは、子ども的なイメージを伴わせたい時や、あるいはまた、子ども向けに何かを書く際に、平仮名は積極的に用いられる傾向があるように思われる。

　次に、片仮名については、現代的には、「パン」や「コンピュータ」などのように、外来語の表記において、広く用いられるのが普通であるので、それ以外の際には、あまり用いられないイメージがある。

　次に、漢字に関しては、その音声を漢字で表記できる場合には、積極的に漢字が用いられる傾向にあり、漢字仮名混じり文できちんとした文章が書けると、大人的な雰囲気が醸し出されてくるようなイメージが伴ってくる。ただし、「薔薇」などのきわめて難しい漢字に関して言えば、そのような場合には、むしろ漢字など用いずに、「バラ」という片仮名表記が優先してしまう場合も、きわめて多いように感じられる。しかしながら、近年のネット環境の多様化に伴って、漢字変換が容易になってきている現代社会においては、難しい漢字であっても、何の躊躇もなく、使用される時代背景はあるものと考えられる。

　そして最後に、ローマ字であるが、これは、平仮名・片仮名・漢字と比較すると、その使用頻度はかなり限られるように思われる。外国人の方に提示する際には、平仮名や片仮名、そして漢字は難しいので、ローマ字表

記にしたりすることはあるものの、そのような目的以外では、積極的に用いられる機会はかなり少ないかもしれない。とはいうものの、例えば、名刺において、自分の名前の読み方を知らせるために、自らの名前をローマ字表記で示しておくといった使い方は、よく見かけられるところである。

　したがって、このような形で考察を加えてくると、日本語の書記体系には、平仮名・片仮名・漢字・ローマ字の４タイプが存在していても、どのような場面でも、一律にどの書記体系を用いてもよいというわけではなく、その背景には、その書記体系が本来的に備えている基本的なイメージというものが、どうやら存在しているらしいということは、以上の議論からも、分かってくるはずである。認知言語学は、イメージの言語学とも捉えられていることをここで提示しておくと、認知言語学の一般的な枠組みというものは、このような書記体系が持つイメージの側面についても積極的にアプローチしていくことのできる土台を整えているとも、ここでは理解することができそうである。

4. 文字のカテゴリー化

　例えば、今ここに、一郎・二郎・三郎という３人の文字の書き手がいると想定してみよう。そうすると、一郎に書いてもらった「は」の字、二郎に書いてもらった「は」の字、そして三郎に書いてもらった「は」の字は、その書き手によって、それぞれの微妙な特徴が表出して、完全に同一になるとは、一般に考えることができない。しかしながら、私たちは、この３人の書いた「は」の文字を見ると、「は」の文字として認識をして、また「は」と発音することも可能となってくる。

　つまり、このような場合には、一郎に書いてもらった「は」の字、二郎に書いてもらった「は」の字、そして三郎に書いてもらった「は」の字は、それぞれにおいては細かい部分において物理的に異なっているけれども、認識的な側面からは、これらの文字はすべて同一のものとして認識されているというわけである。

　この状況は、認知文法におけるカテゴリー論（cf. Langacker 1988, 2000b）を参考にすれば、よりよく記述することが可能である。すなわち、一郎

に書いてもらった「は」の字、二郎に書いてもらった「は」の字、そして三郎に書いてもらった「は」の字は、それぞれがインスタンス認識（instance specification）を持っている具体事例であると考えれば、それらに共通して抽出される「は」の字の特徴というものが、タイプ認識（type specification）を持つスキーマ（schema）として取り出されることになるのである（（２）参照）。

（２）「は」の字のカテゴリー化（手書きの場合）：
　　　タイプ認識（スキーマ）：　　　　　　　　　「は」
　　　　　　　　　　　　　　　　／　　　｜　　　＼
　　　インスタンス認識（具体事例）：　一郎の「は」　二郎の「は」　三郎の「は」

このような場合、インスタンス認識を持つ「は」の字は個人的な書き方が十二分に滲み出しているのであるが、それらの共通項として把握されたタイプ認識を持つ「は」の字は、より抽象的なスキーマという形態を獲得することで、「は」の字の一般的な書き方として定着していくことになる。
　以上の議論は、手書きの場合を前提にしていたのであるが、印刷物の場合にも、同様の理解を適用していくことが可能である。つまり、明朝体の「は」の字とゴシック体の「は」の字が、インスタンス認識を持つ要素としてあった場合にも、それらから共通項を抽出していけば、タイプ認識を持つスキーマが、一般に構築できるようになるのである（（３）参照）。

（３）「は」の字のカテゴリー化（印刷物の場合）：
　　　タイプ認識（スキーマ）：　　　　　　　　　「は」
　　　　　　　　　　　　　　　　／　　　　　　＼
　　　インスタンス認識（具体事例）：　明朝体の「は」　　　　ゴシック体の「は」

したがって、このような場合にも、インスタンス認識を持つ「は」の字はそのフォント独自の特徴を備えていることになるのだが、それらの共通項として抽出されたタイプ認識を持つ「は」の字は、一般にスキーマとして

確立されることになるので、「は」の字の一般的な印刷体としておのずと把握されてくることになる。

　なお、このような形で、文字の認識を捉えていった場合には、インスタンス認識を持つ文字は文字の物理的な側面に着目していると言えるのに対して、タイプ認識を持つ文字は文字の認識的な側面を把握しているものとして、一般に理解することができるようになる。そして、このような形で、文字のカテゴリー化を構造化した上で、文字の認識的な側面を捉えているタイプ認識の文字については、一般的な文字論の領域では、書記素（grapheme）と呼ばれることが多いものと考えられる。つまり、この世の中に存在するあまたの物理レベルの文字を抽象化した認識レベルの文字のことが、ここで言うところの書記素であると、ここでは理解すればよいのである。

5．文字変換の認知プロセス

　パソコンやスマホなどで特定の言語表現を入力しようとする場合には、特定の文字列を打ち込んでいけば、後はおのずとどの書記体系を用いるべきかを選択する画面が登場してきて、書き手（あるいは打ち手）は、その文脈に合った書記体系を選ぶことになる。例えば、今ここで、「ふくしゅう」という文字列を入力してみると、（4）にあるような選択肢が表示されてくるようになる。

　（4）「ふくしゅう」の文字変換：
　　　　復讐　復習　ふくしゅう　フクシュウ

　この時、（5）のような文に示された下線部の中に、（4）に示した書記体系のいずれかを入れるという場合には、その4つのものの中から1つのものを選択していく必要がある。

　（5）今日のところは、しっかりと＿＿をしておいてください。

（5）の文脈から普通に考えれば、この場合の文脈に最も合うのは、（6）に示されたように、おそらく二番手に挙げられている「復習」であることが、一般に推測されてくるところである。

　（6）今日のところは、しっかりと**復習**をしておいてください。

したがって、このような場合には、その背景において、ベースとプロファイルの概念化（cf. Langacker 1987, 1990, 2008, 2013, etc.）が適用されてきていることが分かってくるはずである。すなわち、下記の（7）に示すように、（4）の選択肢全体をベースとして理解した上で、その中から「復習」という選択肢にプロファイル（（7）では太字表記）を付与することで、ここでの選択が行われることになっている。

　（7）「ふくしゅう」の文字変換（ベースとプロファイルの概念化）：
　　　　復讐　　**復習**　ふくしゅう　フクシュウ

　このような認知プロセスは、別の観点から把握すると、参照点能力（reference-point ability: cf. Langacker 1993, 2000a）が発動されているとも、一般に解釈することができる。すなわち、下記の（8）に示されるように、（4）に挙げられた選択肢全体を参照点（reference point（R））として理解していけば、その中から「復習」という書記体系が選ばれることになるので、それが要するにターゲット（target（T））として認識されることになっているのである。

　（8）「ふくしゅう」の文字変換（参照点能力）：
　　　　R（復讐／復習／ふくしゅう／フクシュウ）　→　T（**復習**）

　このように、パソコンやスマホなどで活用される文字入力とその選択に関しては、認知言語学で一般に提案されてきた認知プロセスである、ベースとプロファイルの概念化や参照点能力が、その背景で重要な働きを成し

ていることが、以上の議論から分かってくる。

　なお、もしもの場合であるが、（5）の文の下線部に入れるべき文字列を、（4）の選択肢の中から選ぶ際に、もしも間違えて「復讐」を選んでしまったとすると、それは、いわゆる誤変換という操作に関わってくることになる。したがって、このような誤変換が行われた場合には、（9）に示したように、かなり怖いイメージが、その文からは発出してくることになるので、誤変換をしないように、文字入力には十分に慎重を期す必要がある。

　（9）今日のところは、しっかりと**復讐**をしておいてください。

6. 漢字の読み方

　日本語で使用される漢字に関しては、その読み方がまた複雑であるというのが、日本語話者の筆者としても、身に沁みて感じるところである。したがって、状況によっては、読み間違いなどをしてしまうことも、当然のことながら、あり得るということになる。

　例えば、「手」という漢字の読み方について、ここで考えてみることにしたい。一般に、漢字の読み方に関わる知識は、認知言語学的な観点からは、ネットワーク状に構造化されているものとして、ここでは理解することができる。したがって、「手」という漢字の読み方については、（10）に挙げるような「漢字の読み方ネットワーク」が、日本語話者の頭の中には備わっているものとして、一般には仮定できそうである。

　（10）漢字の読み方ネットワーク（「手」）：
　　　　　　シュ　　て　　た

なお、（10）において片仮名表記された読み方は音読みを、これに対して、平仮名表記された読み方は訓読みを、ここでは示している点に注意されたい。

　このような形で、「漢字の読み方ネットワーク」が頭の中にあると仮定すれば、特定の文脈下に登場してくる「手」という文字をどのように読め

ばよいのかという点に関しては、そのネットワークの中に登録されている読み方の中から、1つのものを選択すればよいことになるはずである。したがって、ここでも、読み方の選択に関しては、ベースとプロファイルの概念化（cf. Langacker 1987, 1990, 2008, 2013, etc.）と称される認知プロセスが、その背景で機能してくることになる。

　例えば、(11) の文脈下に登場してくる「手」という漢字（下線部参照）は、ここでは、どの読み方を選択すればよいであろうか。

> (11) これまで息の合ったコンビとはいえなかった両首脳だが、まず固い握手を交わして、今度こそ互いの信頼を確かめたい。
>
> 　　　　　（「産経抄」産経新聞 2017 年 3 月 20 日 [下線は筆者による]）

この場合には、「握手」という漢語表現で登場してきているので、その読み方としては、言うまでもなく、「シュ」を選択しなければならない。したがって、(10) の「漢字の読み方ネットワーク」全体をここではベースとして認識した上で、「シュ」という音読みがここではプロファイルされることになる（(12) 参照：太字表記＝プロファイル）。

> (12) 漢字の読み方ネットワーク（「手」）:
> 　　　**シュ**　て　た

　それでは、下記に挙げる (13) の文脈下に登場してくる「手」という漢字（下線部参照）については、どうであろうか。

> (13) ただ、自国第一主義や移民規制など大統領の横暴さをたしなめる動きが世界に広がる中でひたすら大統領の手を握り、ハグを求める日本の姿勢がどう映るか。
>
> 　　　　　（「中日春秋」中日新聞 2017 年 2 月 12 日 [下線は筆者による]）

この場合には、言うまでもなく、「手」という漢字は、「て」と読まれるこ

とになるので、ベースとプロファイルの概念化の観点からは、(10) の「漢字の読み方ネットワーク」全体をベースとして把握した上で、今度は、「て」という訓読みにプロファイルが付与されることになる ((14) 参照：太字表記＝プロファイル)。

(14) 漢字の読み方ネットワーク（「手」）：
　　　　シュ　**て**　た

　そして、ついでながら、もう 1 つ、下記の (15) の文脈下に登場してくる「手」という漢字（下線部参照）に関しては、どのような読み方が選択されてくるであろうか。

(15) 仙人が巨大なコイのヒゲを手綱のように握って馬のごとく乗り回
　　　す。　　　　　　　　（「凡語」京都新聞 2017 年 8 月 2 日［下線は筆者による］）

この場合には、「手綱」という漢語表現で用いられているので、その読み方に関して、正しい知識を備えている人であれば、「手」という漢字の読み方としては「た」を選択して、「手綱」＝「たづな」という読み方をすることになるものと予測される。したがって、この点をベースとプロファイルの概念化の観点から理解していくと、(10) の「漢字の読み方ネットワーク」全体をベースとして認識した上で、今回は、「た」という訓読みにプロファイル付与がなされることになる ((16) 参照：太字表記＝プロファイル)。

(16) 漢字の読み方ネットワーク（「手」）：
　　　　シュ　て　**た**

　しかしながら、「手綱」＝「たづな」という読み方は、これまでの事例に比べれば、やや難しい読み方であるとも考えられるので、もしもの場合であるが、この漢語表現の読み方を知らない人にとっては、間違えて「手」

　の部分を「シュ」と読んだり、あるいはまた「て」と読んだりすることも、当然のことながら、ありうると考えなければならない。したがって、そのような場合には、先に提示した（12）や（14）のようなプロファイル構造が出来上がってくることになるのであるが、このようなプロファイル構造はその読み方そのものが基本的に間違っていると言えるので、いわゆる読み間違いとして、ここでは認識されてくることになる。

　このような形で、漢字の読み方を考えてくると、その背景でも、認知言語学で提案されるところのベースとプロファイルの概念化が、ここでも重要な働きをしてくれていることが分かってくるようになる。また、このような認知プロセスに基づいて、読み間違いとはどういうことなのかという点も解明できるということは、その点においても、たいへん興味深い事例分析であると言うことができる。

　なお、ここで提示したベースとプロファイルの概念化に基づく分析は、先ほどと同様に、参照点能力（cf. Langacker 1993, 2000a）の観点からも、その分析を施すことが可能である。その場合には、下記の（17）に示すように、（10）の「漢字の読み方ネットワーク」全体が参照点（R）として認識された上で、特定の１つの読み方にそのターゲット（T）が絞り込まれていくこととなる。

（17）参照点能力に基づく分析：
　　　ａ．握手：　R（シュ／て／た）　→　T（**シュ**）
　　　ｂ．手：　　R（シュ／て／た）　→　T（**て**）
　　　ｃ．手綱：　R（シュ／て／た）　→　T（**た**）

7.　おわりに

　本論では、認知言語学の一般的な枠組みに基づいて、文字に関わる言語現象にアプローチしていくための１つの方法論を、簡単にではあるが、いくつかの具体事例を取り上げながら、考察してきたと言える。本論のタイトルには「認知文字論」という、ある意味で斬新な名称を冠したわけではあるが、まだまだその領域のほんの一部分しか、取り上げられていないも

のと考えられる。また、その議論それ自体も、まだまだ荒削りで、「一試案」
という領域を出ていないものと想定されうる。

　したがって、このような方向性の研究が、今後の言語学分野において（あ
るいは認知言語学分野において）、より活発に行われてくることが、この
段階では、何よりも大切なことであるように思われる。特に、日本語の書
記体系は、私たちの知っている外国語とは比較にならないほどに、複雑な
書記体系を備えているわけであるので、文字論という研究領域に風穴を開
けていくのは、まさに日本語の文字分析にかかっているとも、場合によっ
ては、言うことができるかもしれない。いずれにしても、文字論という研
究領域は、まだまだ未知の領域であることには変わりがないので、じっく
りと腰を据えて、長い目で、その研究の発展を見守っていく必要がありそ
うである。

参考文献

Coulmas, Florian. (2002) *Writing Systems: An Introduction to Their Linguistic Analysis.*
　　Cambridge: Cambridge University Press.（斎藤伸治［訳］(2014)『文字の言語
　　学 — 現代文字論入門 —』東京：大修館書店.）

黒田一平 (2013)「認知言語学に基づく拡張記号モデルの提唱 — ネットワーク・
　　モデルを用いた文字論へのアプローチ —」『言語科学論集』19: 1-25.

黒田一平 (2015)「拡張記号モデルに基づく漢字の合成構造の記号論的分析」In:
　　山梨正明ほか［編］『認知言語学論考 No. 12』pp. 1-44. 東京：ひつじ書房.

Langacker, Ronald W. (1987) *Foundations of Cognitive Grammar, Vol.1:*
　　Theoretical Prerequisites. Stanford: Stanford University Press.

Langacker, Ronald W. (1988) "A Usage-Based Model." In: Brygida Rudzka-Ostyn
　　(ed.), *Topics in Cognitive Linguistics*, pp. 127-161. Amsterdam: John
　　Benjamins.

Langacker, Ronald W. (1990) *Concept, Image, and Symbol: The Cognitive Basis of*
　　Grammar. Berlin/New York: Mouton de Gruyter.

Langacker, Ronald W. (1991) *Foundations of Cognitive Grammar, Vol.2:*
　　Descriptive Application. Stanford: Stanford University Press.

Langacker, Ronald W. (1993) "Reference-Point Constructions." *Cognitive*

Linguistics 4(1): 1-38.

Langacker, Ronald W. (2000a) *Grammar and Conceptualization.* Berlin/New York: Mouton de Gruyter.

Langacker, Ronald W. (2000b) "A Dynamic Usage-Based Model." In: Michael Barlow and Suzanne Kemmer (eds.), *Usage-Based Models of Language*, pp. 1-63. Stanford: CSLI Publications.

Langacker, Ronald W. (2008) *Cognitive Grammar: A Basic Introduction.* Oxford: Oxford University Press.

Langacker, Ronald W. (2009) *Investigations in Cognitive Grammar.* Berlin/New York: Mouton de Gruyter.

Langacker, Ronald W. (2013) *Essentials of Cognitive Grammar.* Oxford: Oxford University Press.

斎藤伸治 (2018)「言語と文字」In: 今井隆・斎藤伸治［編］『21 世紀の言語学 ― 言語研究の新たな飛躍へ ―』pp. 237-299. 東京：ひつじ書房 .

索 引

著者紹介

安原和也（やすはら・かずや）　名城大学准教授

1979 年、岡山県生まれ。京都大学大学院人間・環境学研究科博士後期課程（言語科学講座）修了。博士（人間・環境学）。日本学術振興会特別研究員、京都大学高等教育研究開発推進機構特定外国語担当講師などを経て、2013 年 4 月より現職。専門は、認知言語学。主要著書に、『認知文法論序説』（共訳、2011 年、研究社）、『Conceptual Blending and Anaphoric Phenomena: A Cognitive Semantics Approach』（2012 年、開拓社、第 47 回市河賞受賞）、『ことばの認知プロセス — 教養としての認知言語学入門 —』（2017 年、三修社）、『認知言語学の諸相』（2020 年、英宝社）などがある。

認知言語学の散歩道

2021 年 5 月 10 日　　初版発行

著　者　ⓒ　安原 和也

発行者　　　佐々木 元

発行所　　　株式会社 英 宝 社

〒 101-0032　東京都千代田区岩本町 2-7-7
TEL［03］(5833) 5870　　FAX［03］(5833) 5872

ISBN　978-4-269-77060-7　C1082
［製版・印刷・製本：日本ハイコム株式会社］